「言葉」があなたの人生を決める

実践ワークブック

AFFIRMATION

苫米地英人 著
Hideto Tomabechi, Ph.D

フォレスト出版

アファメーションは自分の夢を叶えてくれる魔法の言葉

現在の自分に自信が持てなくて思い悩んでいる人はこの世に数え切れないほどいることでしょう。特に近年の長引く平成不況の中ではリストラや就職できない若者が街にあふれ、世界中のどこにも夢や希望がないように感じられるかもしれません。

こうした時代では「自分には能力がない」「いまの惨めな状況から抜け出したいが、自分の能力や経済状況から、それは不可能に近い」「いますぐブラック企業を辞めたいが、踏ん切りがつかない」などといった、さまざまなネガティブな声が街中から漏れ聞こえてくるような印象があります。

しかし、逆に言えばそうしたネガティブな思考にとらわれているからこそ、いつまでたっても不満足な境遇のままにいるとも言えます。とはいえ、だからといって、自己啓発系のセミナーに参加して、「目標を設定し、自分のミッションをはっきりさせましょう」という講師の言葉を聞いても、無理やり何かをやらされているような義務感ばかりが心の奥底に澱のようにたまり、現状を抜け出そうという強い感情が沸きあがることはまずあり得ません。

では、どうすればいいのでしょうか。それは本物のコーチングに出会うことです。そして、それが「アファメーション」という自己変革の方法なのです。

この方法を発見したのは、コーチングの元祖である故ルー・タイスです。彼は、アファメーションを実践することによってビジネスを大成功させたばかりか、キャリア、財産形成、家庭生活、人間関係などあらゆる面で、豊かで素晴らしい人生を手に入れました。

同時に彼は、自らが見出した方法を世の中に広めることに熱中し、全世界3300万人の人生を、彼の人生と同じように素晴らしいものに変えてしまいました。

早い話が、ルー・タイスと同じ方法を実践していただけで、地球上の3300万もの人々が仕事やビジネスで成功し、富を築き、周りの人々の尊敬を集め、豊かな家庭を築き、幸せな人生

はじめに

を送っているのです。

アファメーションとは、「〜したい」「こうなれば良いな……」という願望を、「私は〜だ」「私は〜をする」といったようなすでに達成している言い回しをすることで潜在意識に働きかけている言い回しをすることで潜在意識に働きかけ、変化や成長（ゴール）が遠くの未来にあるものではなく「今・ここにあるのだ」ということをリアルに感じさせる技法のことです。

人間が自分の望みを実現する原理を突きつめて考えていくと、アファメーションを自分に言い聞かせていくだけで人生のゴールを達成してしまう、とさえ言うことができるのです。

暗示や催眠と一線を画する本物のコーチング理論

アメリカン・フットボールのコーチであったルー・タイスが、アマチュアやプロの選手たちのメンタル強化法をビジネスマンと企業組織に適用し、人材育成や企業の成長に著しい成果を挙げるようになったのは、約40年前のことです。1990年代になると、コーチング・ビジネスは爆発的に普及。タイスの弟子や孫弟子たちがコーチングスクールを様々な場所で設立したことで、コーチングのプログラムが乱立するようになりました。

こうしたビジネス上の過当競争は、プログラムの多様化を生み出すと共に、コーチングを受ける人と企業の目標達成のために、さまざまな心理操作の手法を取り入れる一種の流行を引き起こしました。実はこれが現在のコーチングに対する混乱と誤解の原因になっているのです。というのも、人の脳を正しく理解することなしに、心理操作テクニックなどを安易に取り入れると、コーチングを受けている人や組織の目標達成を阻害してしまうことがあるからです。

ルー・タイスが一般向けに教えているプログラムは、言葉を重視したものです。そして、その中核にあるのがアファメーションなのです。ルー・タイスの方法論が注目されるようになると、アファメーションを「暗示」と誤解する人が増え、暗示や催眠を使った亜流の自己変革法が登場するようになりました。

しかし、これは決定的に誤った方法論なのです。

自己実現プログラムなどでよく見られるのは、暗示や催眠を用いて、アファメーションはゴールの世界の臨場感を上げる道具として使われるのです。

「私は大金持ちだ」と思わせる方法です。しかし、こうした暗示が一時的に効果をもたらしたとしても、その思い込みがその人の本当のゴール達成に役立つかといえば、決してそうではありません。

というのも、暗示や催眠でできることは、正しいゴール達成とは無関係だからです。つまり、暗示や催眠によっては真のゴールを見つけることは不可能なのです。だから、暗示や催眠により、自分が有能だと思い込んだり、ポジティブな思考に変わったりしても、それは単なる空中楼閣に過ぎず、その人が具体的に何らかの成果を示すことはありえません。

逆に誤ったゴールに邁進し、組織や企業の奴隷化する人が多いのです。

これに対して、ルー・タイス・プログラムでは、ゴールの設定がすべてであると言えます。ルー・タイス・プログラムの本質は、「ゴールの世界を強くリアルに感じるとゴールの世界が現実になる」というものです。そして、このとき、

「できない」が「できる」に変わるワクワク感を体感する

アファメーションを実践することによって、あなたが最初に感じることのできる効果は二つあります。

一つは、自らを縛り、制限している言葉から自分を解放することができたという実感です。そして、もう一つは、これまで「できない」と考えてきたことに、自分がごく自然に積極的に取り組めるようになったという実感でしょう。アファメーションのルールにのっとった言葉を自分に語りかけると、これまでの自己イメージはすぐに変わっていきます。

それは「人生のゴールを達成する」ための第一歩と言えるでしょう。

また、アファメーションによって人生のゴールを自分に刷り込んでいけば、「目的的志向」が働くようになります。目的的志向については本文で詳しく述べますが、「これをやろう」と

4

PROLOGUE
はじめに

強く意識して力を注がなくても、自動的にゴールを達成するよう自分を導いてくれる「無意識の働き」のことです。

そこで私は、認知科学の知見を交えながら、TPIE（タイス・プリンシプル・イン・エクセレンス＝ルーと私が開発した最新のコーチングプログラム）に則した形で簡潔にアファメーションを解説することを思い立ち、本書のワークブック的な側面を持っています。

本書の解説やチャート部分を読み、それに基づいて様々な課題（ワーク）をクリアしていくことで、あなたは人生を劇的に変え、成功をつかむことができるはずです。

ルー・タイスの『アファメーション』にまだ目を通していない方は、ぜひ併せて読むことをお勧めしておきます。いっそう深い理解に達することはもちろん、言葉ひとつで人生が変わることを発見した彼の驚きと情熱が伝わり、長く強く心に残ることは請け合いです。

残念ながら、彼は2012年に日本から帰国して間もなく、76年にわたる人生の幕を閉じました。本書を、故ルー・タイスに捧げます。

課題をクリアしていくことで
人生を劇的に変える

その意味で、アファメーションは、目的的志向を働かせ、自動的に人生のゴールを達成するための方法と言うこともできるでしょう。

強く要望が読者から多く寄せられることにもなりました。

「やらなければいけない＝have to」という意識が働いているうちは、何もかもが苦痛に思われます。しかし、「楽しくてしかたがない」という心理をつくり出せば、やることのすべてが「ハッピー」なことに変わり、疲労感や倦怠感は払拭されます。

最後になりましたが、ルー・タイスには『アファメーション』（フォレスト出版）という、そのものずばりの名著があります。日本語版を世に問うに当たり、私が監訳を引き受けています。大著ゆえ、含蓄のあるルーの思想と方法論を学ぶにはうってつけの本ですが、「アファメーションを手軽に学べるハンディな本を」という強い要望が読者から多く寄せられることにもなりました。

『言葉』（フォレスト出版）を上梓しました。そして、本書はその本のワークブック的な側面を持っています。

CONTENTS

はじめに …… 2

PART_1 WORD
人生を変える「言葉」と「思考」を知ろう

RULE 001 「アファメーション」は夢やゴールをかなえてくれる魔法の言葉 …… 12

RULE 002 言葉の持つ力があなたに幸福をもたらす …… 14

RULE 003 人生の成功ではなく「人生のゴール」を目指す …… 16

RULE 004 「なりたい自分を望む」だけでお金や地位が手に入る …… 18

RULE 005 人間は自分が見たい現実だけを見て生きている …… 20

RULE 006 「自分は当然…である存在だ」と念じるだけで、新しい自分になれる! …… 22

RULE 007 自己イメージを書き換えることで、充実した人生を送れる …… 24

CONTENTS

PART_2 IMAGE
人生を変える「イメージ」の作り方を学ぼう

- **RULE 001** 他者による洗脳から自由になる！ … 36
- **RULE 002** 努力せずにアファメーションの効果を上げる方法 … 38
- **RULE 003** 自分の価値観を明らかにする5つの方法 … 40
- **RULE 004** 「しなければならない」を捨てれば生きることが喜びであふれる … 42
- **RULE 005** 外部の言葉を受け入れることによって人間のブリーフシステムは形成される … 44
- **RULE 008** 本当にやりたいことをやり遂げてしまう人間のパワー … 26
- **RULE 009** 人間が選択と行動を行う際の「3つの意識」 … 28
- **RULE 010** 「目的的志向」ですべてが「ハッピー」に変わる … 30
- **RULE 011** あなたの夢を食いつぶす「ドリームキラー」に気をつけろ！ … 32

CONTENTS

PART_3 | ACT
人生を変える「行動」を生み出す実践術を習得しよう

RULE 006 自己イメージを破壊することで飛躍的に成長する！ ……46

RULE 007 「プライミング」を仕掛けることでゴール実現へのモチベーションがアップ！ ……48

RULE 008 成功を邪魔する情動記憶を消すことでゴール達成に近づく ……50

RULE 009 今までと違う行動をとることで新しい世界が見えてくる ……52

RULE 010 「スマートトーク」でポジティブで前向きな自分に生まれ変わる ……54

RULE 011 「目的志向」を身につけるための8つの原則 ……56

RULE 012 ゴール達成のための3要素はイメージ・言葉・情動 ……58

RULE 013 マイケル・フェルプスはいかにして8冠王に輝いたか？ ……60

RULE 014 複数のゴールを設定するとき「バランス・ホイール」をイメージする ……62

CONTENTS

- RULE 001 — 人間は一番臨場感の強い世界を選びとって生きている … 66
- RULE 002 — アファメーションの実践的なつくり方 … 68
- RULE 003 — 相手のゴールを見抜いて自分の話を聞いてもらう … 72
- RULE 004 — 商談や人付き合いにおいては「自分のルール」を貫く … 74
- RULE 005 — 現在の自分の価値を評価するのは自分自身である … 76
- RULE 006 — 空気が読めないことと、空気を無視することは違う … 78
- RULE 007 — 相手の感情にうまく訴えかけるテクニックを身につける … 80
- RULE 008 — 「一目ぼれテクニック」で相手を魅了する … 82
- RULE 009 — 相手の要求を聞き出す「抽象度の高い会話」をする … 84
- RULE 010 — 自分に付加価値があると認識される自己演出を実行してみる … 86
- RULE 011 — 臨場感を共有することで、利益率が750倍もアップ！ … 88
- RULE 012 — 抽象度を高めてお金を稼ぐ … 90
- RULE 013 — 抽象度をアップする「瞑想術」を学ぶ … 92

VOICE TPIEを体験された方々の声 … 94

STAFF

編集協力　　　ノトーリアス
装丁　　　　　重原隆
カバーイラスト　ミヤケシゲル
本文デザイン　　高橋明香(おかっぱ製作所)
DTP　　　　　ノトーリアス
校正　　　　　鷗来堂

RULE_001-011

PART1

WORD

人生を変える
「言葉」と「思考」を
知ろう

PART1 RULE_001 WORD
「アファメーション」は夢やゴールをかなえてくれる魔法の言葉

[この世界は言葉で成り立っている]

アファメーションとは、端的に表現するならば、「あるルールにもとづいて作った言葉を自らに語りかけること」と定義づけられます。そして、その言葉によって、自らの夢やゴールが実現できるのです。

私たちの思考は、すべて言葉で成り立っています。たとえば、夜空の星を見て「きれいだなあ」と感じるのは、その昔に「ほら、あれがデネブ、アルタイル、ベガの夏の大三角形だよ。きれいでしょう」と誰かに

アファメーションの役割

アファメーション
＝
自分で自分に語り聞かせる言葉

↓

自分にはできない → 自己改造 → 自分にはできる

↓

アファメーションによって
人生のゴールは実現できる!

12

PART1 人生を変える「言葉」と「思考」を知ろう | WORD

「できない」から「できる」に変える

星を見ながら教えられ、あなたがその言葉を受け入れたから、そう思うのです。

一般に人間には自分独自の思考様式・考え方のパターンがあると考えられていますが、本当はそうではありません。

感情だけでなく、考え方や判断、評価基準など、ありとあらゆることを他人から刷り込まれ、その言葉を受け入れたことによって、ひとりの人格のある人間ができあがっているのです。

他人から刷り込まれた思考のパターンは選択と行動として表出しますが、それはもちろんその人が過去にどんな言葉を受け入れているかによって決まってしまいます。

たとえば「自分は能力のない人間だ」という言葉を受け入れている人は、能力のない人間の選択と行動をとるし、逆に「自分は能力のある人間だ」という言葉を受け入れている人は、能力ある人間にふさわしい選択と行動をとります。

あるいは、「私はお金持ちになれる」という言葉を受け入れている人は、見事にお金持ちになっていきます。

それができないのは、その人が「自分には無理だ」という言葉を受け入れているからです。

「自分にはできない」と思って、自らの可能性にフタをしているわけですから、できなくて当然ですね。

素晴らしい人生を手に入れたいなら、「自分にはできる」と心の底から思うことがとても重要です。

アファメーションは、「自分にはできない」から「自分にはできる」に変える、いわば「自己改造」の方法です。これを身につけると、脳が「自分にはできる」という言葉を受容し、あなたを素晴らしい人生へと導いてくれるようになります。

あなたのアファメーションを3つ挙げてみましょう。

| 1 | 2 | 3 |

PART1

RULE_002 WORD

言葉の持つ力があなたに幸福をもたらす

言葉の持つ力

はじめに言葉ありき
↓
あらゆる物事が言語世界の法則によって成り立っている

言葉　言葉　言葉　言葉

言葉が人生を決める

[アファメーションを自分に言い聞かせる]

ルー・タイスのコーチングプログラムの全体を支える思想的土台に、「はじめに言葉ありき」というフレーズがあります。これは言葉が単なるコミュニケーションの手段ではなく、この世界、あるいは宇宙そのものの理を支配していることを示唆しています。

実際、私たちは、言葉によって目の前にある物事を認識し、何が起こっているか解釈します。また、解釈するだけでなく、言葉

14

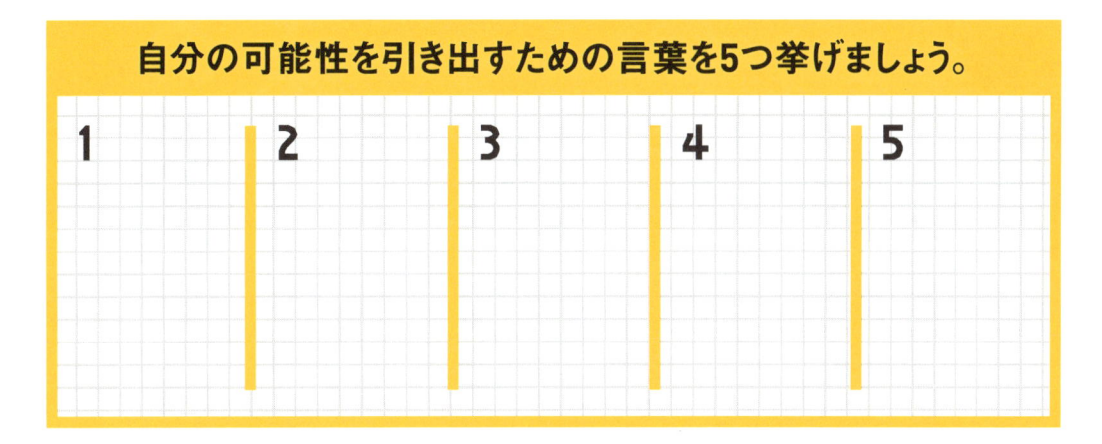

PART1 人生を変える「言葉」と「思考」を知ろう | WORD

自分の可能性を引き出すための言葉を5つ挙げましょう。

| 1 | 2 | 3 | 4 | 5 |

言葉が人生を決める!

言葉の持つこうした力を鑑みると、現在あなたが受け入れている言葉を変えるなり、捨てるなりしたならば、現在の満足のいかない状況をいともたやすく変えたりすることが可能になると考えられます。

したがって、人生のゴールを達成するには、これまで自分を縛ってきた言葉とブリーフ（信念）を壊す方法を、よく理解することが大切になります。そして、そのためにあるのが、自分で自分に語り聞かせる言葉であるアファメーションなのです。

ルー・タイスは「言葉が人生を決定する」と述べました。それは、言語世界の中で人生のゴールを達成しようとするならば、言葉の持つ影響力を重く受け止めなければならないという戒めです。

加えて、ルー・タイスはあなたに、まず自らにこう語りかけるよう勧めます。

「私はもっと大きな人間になれる。もっと多くのことができる。もっと多くを手にすることができる。まずは自分のことから始めよう。自分に語りかけることで可能性を切り開こう」

これは、『アファメーション』の中で彼が最初に読者に示した、自分の可能性を引き出すためのアファメーションの第一歩とも言える言葉です。

によって私たちは世界を分節化し、それによってあるものと別のあるものを区別できるのです。

たとえば、「人間とはこういうものだ」「猫とはこういうものだ」「人間と猫は別個の存在だ」などと、あなたが信じている現実も、すべてあなたが受け入れた言葉によって成り立っています。また、預金通帳の数字が増えると嬉しいと感じるのも、数字という言語によって規定された感情です。

PART1

RULE_003 | WORD

人生の成功ではなく「人生のゴール」を目指す

[「成功」と「ゴール」の明確な違い]

仕事であれ、お金のことであれ、人生には必ず「成功」や「失敗」がついてまわるものです。よく人は「あの人は成功者だ」といった人物評をしたりしますが、言われた当人は、その時初めて「自分は成功者だ」と実感するような場合があります。

このように「成功」という言葉には、必ず他者からの評価が介在するのです。

しかし私は、そのような他人からの評価には何の意味も見出すことが

「成功」と「ゴール」の違い

人生の成功
他人からの評価が介在

人生のゴール
他人の評価は関係ない
本人が心から満足しているか
どうかが大切

16

PART1 人生を変える「言葉」と「思考」を知ろう | WORD

ますが、私は「人生のゴールは設定時点では漠然としたものでかまわない」と思っています。

なぜならば、いま明確にすることのできるゴールというのは、いまの現状の延長線上にあるものである危険性が高いからです。

私はそれを「理想的な現状」と呼んでいますが、現状にとどまったまま捉えることのできる理想的な現状を目標にしているかぎり、どんな試みも現状を肯定し、維持するための手段になってしまうでしょう。そして、そうした行為は真のゴールに向かうことを阻害するように働くのです。

後で述べますが、本当のゴールは常に現状の外にあります（たとえば、ビジネスパーソンにとっては、起業していることになるのではないでしょうか）。そのことを理解しておかないと、一生かかっても自分の望む真の夢にはたどり着けないでしょう。

ゴールはあいまいでよい

では、「人生のゴール」とは何でしょう。自己啓発系のコーチの中にはコーチングの最初の段階で目標を明確にしようとする人が多く見られ

るのではなく、本人が心から「嬉しい」「楽しい」と思っていることです。

だから、他人の評価が入り込む余地をなくす意図を込めて、「ゴール」という表現を使っているわけです。

しかし、重要なのは、他人の評価ではなく、本人が心から「嬉しい」「楽しい」と思っていることです。

こうした理由から、私とルー・タイスは、「成功」という言葉をあえて使わず、「人生のゴールを達成する」と言っています。

ゴールを達成すれば世間的には当然「成功者」とみなされるでしょう。

できません。功なり名を遂げてどんなに世間から高く評価されたとしても、本人自身が心から満足することがなければ、それは決して幸せな人生とは言えないからです。

今あなたが漠然と思い描いているゴールを3つ挙げましょう。

1 　　2 　　3

PART1 RULE_004 WORD

「なりたい自分を望む」だけでお金や地位が手に入る

[現状の外側に設定する「5つのゴール」]

ルー・タイスは、「人生のゴールは、現状の外側に設定しなさい」と教えていました。「現状の外側にあるゴール」とは、簡単にいえば、いまの自分とはかけ離れ、いまの仕事や環境では考えつかないような突飛なゴールのことです。

社長になるだけでもたいへんなのに、果たしてそんなにかけ離れた人生のゴールを達成することができるだろうかと考えるかもしれませんが、実は事態はまったく反対なのです。いまの現状からかけ離れた人生のゴール、つまり現状の延長線上にはない突飛なゴールだからこそ、逆に私たちはそれを100％実現することができるのです。

社長になれるかどうかは確率の問題であり、従業員の多い大企業に勤めていればその確率はかなり低く、100％と言えるはずもありません。

しかし、この考えは因果関係が転倒しています。なぜなら、まず強い望みが先にあり、それが必要な能力の獲得という結果をもたらすからです。

ところで、ゴール（夢）は複数用意しておく必要があります。たとえば、①自分の欲求のゴール、②自分の欲求を少し広げたゴール、③社会的なゴール、④さらに抽象度の高い

たい自分を望む」だけでいいのです。これに対して、自分には夢を実現するのに必要な人並み外れた優れた能力がない、といった反駁がなされるかもしれません。

18

PART1 人生を変える「言葉」と「思考」を知ろう | WORD

人生を変える5つのゴール

1. 自分の欲求のゴール
2. 自分の欲求を少し広げたゴール
3. 社会的なゴール
4. さらに抽象度の高いゴール
5. 誰の役にも立たないゴール

いくつものゴールを設定することで自分の可能性が広がる!

あなたの5つのゴール

1. 自分の欲求のゴール

2. 自分の欲求を少し広げたゴール

3. 社会的なゴール

4. さらに抽象度の高いゴール

5. 誰の役にも立たないゴール

ゴール、⑤誰の役にも立たないゴールなどです。

①は、とにかく自分のためにお金を稼ぐ、地位を得たいと思うこと。

②は自分だけでなく、たとえば家族や身近な人などに対すること。③は自分から離れたコミュニティのこと。④はたとえば世界平和や宇宙のことなど、自分の思考や行動範囲をはるかに超えたより抽象的かつ高踏的なもの。そして、⑤は自分の趣味のことです。

19

PART1

RULE_005 | WORD

人間は自分が見たい現実だけを見て生きている

【 ゴールを見えなくさせるスコトーマの呪縛(じゅばく) 】

たとえば、あなたは自分がふだん身に着けている腕時計の文字盤を正確に絵として描くことができますか。おそらく、多くの人はきちんと描くことができないでしょう。なぜならば、時計の文字盤の図像を脳は重要ではないと判断しているからです。

重要でない情報（一般にはネガティブな感情を伴わない記憶）を無意識のうちにシャットアウトしているのは、RAS（網様体賦活系）と呼ばれる脳内のフィルターです。そして、RASによってシャットアウトされた記憶に残らない情報こそが、スコトーマ（心理的盲点）と呼ばれているものなのです。

毎秒毎秒、五感を通じて入ってくる大量のメッセージをすべて受け取っていたら、脳は処理が追いつかずにパンクしてしまいます。だからこそ、RASによって、必要な情報と必要でない情報が振り分けられているのです。

しかし、ここで問題なのは、我々は「脳が重要だと判断したもの」しか見えないということです。私たちは、身の回りの情報をすべて理解しているように感じていますが、実はスコトーマのせいで、見えているものと見えていないものが存在しているのです。

このようなスコトーマの働きによって、仮にあなたが夢を叶えたくても、ゴールに関係のあるものが見えないために、現状から抜け出せなくなっています。

多くの人の無意識の選択と行動は、現状を維持する方向に向かいますが、自分がいちばん楽に自然でいられる、慣れ親しんだ領域のことをコンフォートゾーンと言います。そ

20

PART1 WORD
人生を変える「言葉」と「思考」を知ろう

RASとスコトーマの仕組み

RAS
脳の活性化ネットワークで毎秒五感を通じて入ってくる大量のメッセージの中でどれを意識するかを決定する

スコトーマ
心理的盲点。私たちは身の回りの情報をすべて理解しているかのように感じているが、実はスコトーマによって隠されている

私たちの世界は自分の脳が重要だと判断した情報だけで成立している

ふだん身に着けているあなたの腕時計の文字盤を描いてみましょう。

して、現状のコンフォートゾーンと合致していないものは重要度が低いため、スコトーマが働いて、目の前にあっても見えなくなってしまいます。たとえ、それがあなたの夢に関わるものであっても、それは変わりありません。

人間は、その人が見たい現実だけを見て生きています。すなわち、あなたのブリーフシステム（信念体系）がスコトーマを作り出し、見える範囲を狭めているのです。

PART1 RULE_006 WORD

「自分は当然…である存在だ」と念じるだけで、新しい自分になれる!

[自分で自分の限界を決めてしまう]

コンフォートゾーンのレベルのことをエフィカシーと呼びます。エフィカシーとは自分のゴール達成能力の自己評価と考えてください。

たとえば、「どんなに頑張っても、年間ホームラン数は10本」というエフィカシーを持っているプロ野球選手がいたとしましょう。

すると、「年間10本」がその人のコンフォートゾーンということになります。そして、困ったことに、コンフォートゾーンにどっぷりと浸か

エフィカシーを高める方法

エフィカシー（自己評価）

スコトーマが外れてエフィカシーが高くなる

ゴールを高く設定することでコンフォートゾーンをずらす

エフィカシー（自己評価）

スコトーマ

スコトーマが邪魔してエフィカシーが低いまま

PART1 人生を変える「言葉」と「思考」を知ろう │ WORD

ると、心の中にスコトーマ（心理的盲点）が生じ、「年間10本」の世界しか視界に入らず、「年間50本」の世界は見えなくなる——すなわち、年間50本のホームランを打つ方法がわからなくなってしまうのです。

また、対象や出来事がコンフォートゾーンから外れると、良い方に外れても、悪い方に外れても、無意識はそれをあらかじめ設定された元の状態に戻そうとします。

しかし、それでもあなたが今のコンフォートゾーンから抜け出して、新しいゴールを目指そうとするのならば、「やりたいこと」「なりたい自分」のゴールを設定して、「自分は当然……であるべき存在だ」と強く思うことです。

そうした高いエフィカシーを持てば、自然とコンフォートゾーンが高いレベルにずれて、スコトーマが外れ、新しい自分に生まれ変わることができるでしょう。

「なりたい自分」になるための心の持ち方

これと逆に2010年サッカーW杯南アフリカ大会で岡田監督は本大会での目標に「ベスト4」を据えました。そして、下馬評では予選グループ敗退が確実視されたのに、アウェー開催で初のベスト16という最高の結果を残せたのです。

これはおそらく岡田監督のコンフォートゾーンが「ベスト4」にあり、それに伴ってエフィカシーが上昇したからでしょう。

つまり、岡田監督には世界の強豪チームと互角に戦う日本のイメージが臨場感を伴って見えていたのです。

コンフォートゾーンはその語義通り、本人にとってとても居心地がいい場所です。ですから、わざわざその場所から抜け出して、あえて不快な状態に身をおくことを人は本能的に避けます。

あなたにとって心の底から「なりたい自分」「やりたいこと」を挙げてみましょう。

1	2	3

PART 1　RULE_007 WORD

自己イメージを書き換えることで、充実した人生を送れる

自己イメージの成り立ち

自己イメージ
＝
他人の目に自分がどのように映っていると
その人が思っているかということ
↑
ブリーフ システム
＝
私はこういう人間だ
＝
外部の情報を認識し、
それを受け入れることによって生まれる

[自己イメージが形成されるプロセス]

自分の自己イメージがどのようにして成り立っているのか、考えたことがあるでしょうか。

自己イメージとは、他人の目に自分がどのように映っているかということをその人が思い描いている意味内容を指します。

もう少し詳しく言えば、自分は他人からこう見られているに違いないという、その人自身の確信であり信念です。つまり、自分がそう思うだけでなく他人からもそう思われてい

24

PART1 人生を変える「言葉」と「思考」を知ろう | WORD

あなたが思い描く自己イメージを書き出してみましょう。

自己イメージを変えてみる

ところで、「私はこういう人間だ」というブリーフのそもそもの成り立ちは、あなたの内部から生まれ、成立したものではありません。

それは、あなたが外部の情報を認識し、それを受け入れたことによって生まれたものです。あなたは自分に関連する様々な情報を吸収し、受け入れた情報に対して評価と判断を加え、そこで初めて「私はこういう人間だ」という確信にたどり着けるわけです。

るはずの、「私はこういう人間だ」という自分像です。この自分像のすべては、あなたが持つブリーフシステムが生み出しています。

と話したこと、「そんなことをしてはいけない」と叱ったこと、学校の先生や親友があなたについて語ったこと。過去に外部の人が発し、あなたが肯定した情報が、あなたの自己イメージをつくっているのです。

このように自己イメージとは、オリジナルの個性にもとづいた、変えがたいものにもとづいた、もともと外部の情報が生み出したものなのです。

だから、「私はこういう人間だ」。それは、私本来のものであり、簡単に変わるものではない」と、唯一絶対の不可変で固定的な存在と捉えなければならないものではありません。

つまり、裏を返せば、自己イメージは、あなたがその意思さえ持てば、簡単に変えることができるのです。自己イメージを変えることは、他人から押し付けられた自画像からの脱却です。新しい自己イメージを作り出すことで、仕事も趣味も充実した楽しい人生が送れるようになります。

たとえば、親が「こうすべきだ」と言えます。
外部の情報を受け入れたことによって、あなたのブリーフが生まれているという点が、この場合のミソと言えます。

PART1 RULE-008 WORD

本当にやりたいことをやり遂げてしまう人間のパワー

[「なりたい自分」を強く思うだけで、実現する]

ゴールを達成するためのルー・タイスの方法論は、決して難解なものではありません。

ルーとともにプログラムの開発に携わった私が太鼓判を押しますが、その全体像さえ理解すれば、むしろきわめてシンプルな方法と言えます。

その証拠に、ルーの教えを実践して、秘められた可能性を次々に顕在化させる人々が現在もどんどん増えています。

やりたいことをやり遂げてしまう人間の潜在力

客観的に見て不可能な理由が山のようにあるゴール（夢）

↓

やり遂げてしまう!

↑

自分が本当にやりたいと思うから

※並外れた能力や条件を備えている人だけにできる、特別なことではない

現状の延長線上にはない人生のゴールを思い浮かべながら、その実現をひたすら望んで選択と行動をくり返せば、夢は叶う

PART1 人生を変える「言葉」と「思考」を知ろう | WORD

人間の持つ無限の力

人間というものは、自分に本当にやりたいことがあるとき、たとえそれがどんなに途方もないことであっても、また客観的に見てできない理由が山のようにあることであっても、やり遂げてしまう存在なのです。

たとえば、いつの間にか世界的なアーティストになっているバイオリニスト、いつの間にかノーベル賞クラスの学者になっている物理学者、あるいはいつの間にか世界的なコンピューターの専門家になっているシステムエンジニア、いつの間にか英米などで高い評価を受けるようになったロックバンドのギタリスト……など、国内ではほとんど知られていないにもかかわらず、世界的に有名な日本人は意外なほどたくさんいます。

彼らがそのような人生を手に入れることができたのは、現状の延長線上にはない人生のゴールを思い浮かべながら、その実現をひたすら望んで選択と行動をくり返してきた結果です。強く望んでいれば、人間はその実現のために必要なことしかしなくなり、ついには思いどおりのことを実現してしまいます。

それは、並外れた能力や条件を備えている人だけにできる、特別なことではありません。

経済力や環境条件とは異なり、思いどおりのことを実現する能力は、むしろ人間に等しく備わっています。

とすれば、あなたはいますぐに、考えを変える必要があります。自分は人生のゴールを達成し、心の底から深く満足する人生を手に入れることができると、考えるべきなのです。

現状をどうしても抜け出したい、心の底から満足する人生を手に入れたい、これまで想像もしなかったような未来の自分になりたいなどといった思いは、必ず実現します。

自分が心底望む夢で、現実にはほぼ不可能と思われる夢を綴ってください。

27

PART1 RULE_009 WORD

人間が選択と行動を行う際の「3つの意識」

物事をどう捉えるか、どのような視点で見るかによって、人生の質は大きく変わってきます。

物の見方は大きくポジティブ思考とネガティブ思考に分けられますが、一般的にはポジティブに考えることのできる人の方が、ネガティブな思考法を持つ人よりも、問題解決などでより多くの成果を上げられるとされています。

ところで、人間が選択と行動を行う際に働く思考は、ポジティブとネガティブという基準だけでなく、次のように分類することもできます。

① 意識的思考
② 潜在意識
③ 創造的無意識

[創造的無意識が持つ働き]

意識的思考とは、ふだん私たちが意識して行っている思考です。仕事上の問題や課題に対して論理的に解決法を導こうとするのは、意識的思考の代表格と言えます。

しかし、意識的思考が必ずしも論理的に最善の答えを導き出してくれるわけではありません。

潜在意識とは、顕在化していない意識のことです。潜在意識は、人々の選択と行動を自動的に決めてくれます。

たとえば、靴ひもを結ぶ、クルマを運転する、相手にあいさつするなど、いちいちやり方や手順を考えなくても、手やからだが勝手に動いてくれます。

潜在意識は、そこにどのような内容を記録するかによって、ゴール達成のための強い味方にもなり、それを阻む手ごわい敵にもなります。

創造的無意識はその人に対して、創造イメージに見合った行動を強制的にとらせます。

もし、自己イメージから外れるよ

PART1 人生を変える「言葉」と「思考」を知ろう | WORD

選択と行動を行う際に働く3つの思考

意識的思考…ふだん私たちが意識して行っている思考

潜在意識…顕在化しない意識
顕在化しない意識→選択と行動を自動的に決めてくれる
例）靴ひもを結ぶ、クルマを運転する

創造的無意識…その人に対して自己のイメージに見合った行動を強制的にとらせる意識
創造的無意識が人間にいまの現状を維持させるようにするのはホメオスタシスが働くから

意識的思考、潜在意識、創造的無意識の具体例をそれぞれ挙げてみましょう。

1. 意識的思考	2. 潜在意識	3. 創造的無意識

創造的無意識が人間にいまの現状を維持させるようにするのは、ホメオスタシス（元に戻す力）が働くからです。

つまり、自己イメージから離れた状態から自己イメージどおりの状態に、無意識のうちに戻ろうとするわけです。

うな行動をとろうとすると、元の自己イメージの状態に戻るよう、その人に強烈に働きかけます。

PART1 RULE-010 WORD
「目的的志向」ですべてが「ハッピー」に変わる

[仕事が楽しくて仕方なくなる心理]

アファメーションによってエフィカシーを高め、人生のゴールを自分に刷り込んでいけば、自然と「目的的志向」が働くようになります。

目的的志向とは、次章でも詳しく説明しますが、「イメージ・言葉・情動」を用いて目的論的なプロセスを使って前進し、「なりたい自分」になることです。それは「これをやろう」と強く意識して力を注がなくても、自動的にゴールを達成するよう自分を導いてくれる「無意識の働き」と言えるでしょう。

「やらなければいけない」「やらされている」という意識が働いているうちは、やることなすことのすべてに苦痛が伴います。

しかし、取り組むことに対して「楽しくて仕方がない」という自分の状態をつくり出せば、すべてが「ハッピー」なことに変わり、疲れたり飽きたりということがありません。

たとえば、インターネットでいろいろな情報を調べるのが好きな人は、毎日、朝から晩までパソコンにかじりついていても、疲れないし、逆に楽しくて仕方ない状態にありま

す。

俗に「インターネット依存症」と評されますが、それは依存症ではなく「楽しくてわくわくした」状態を継続的に維持しているのです。

人生のゴールを達成するなら、これと同じ状態で物事に取り組めるようにしてやることが肝心です。

あなたの周りにもひとりやふたりは必ず例が見つかると思いますが、目的的志向が働いている人間は、「楽しくて仕方ない」と感じて取り組んでいるうちに、ふと気づくと大きな仕事を成し遂げているものです。

アファメーションの使い方を身に

PART1 人生を変える「言葉」と「思考」を知ろう | WORD

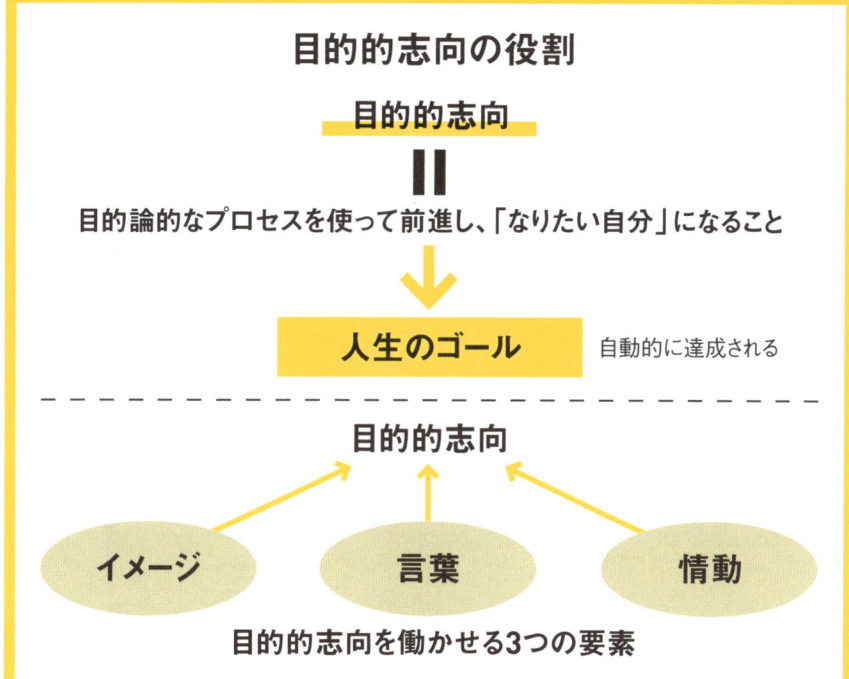

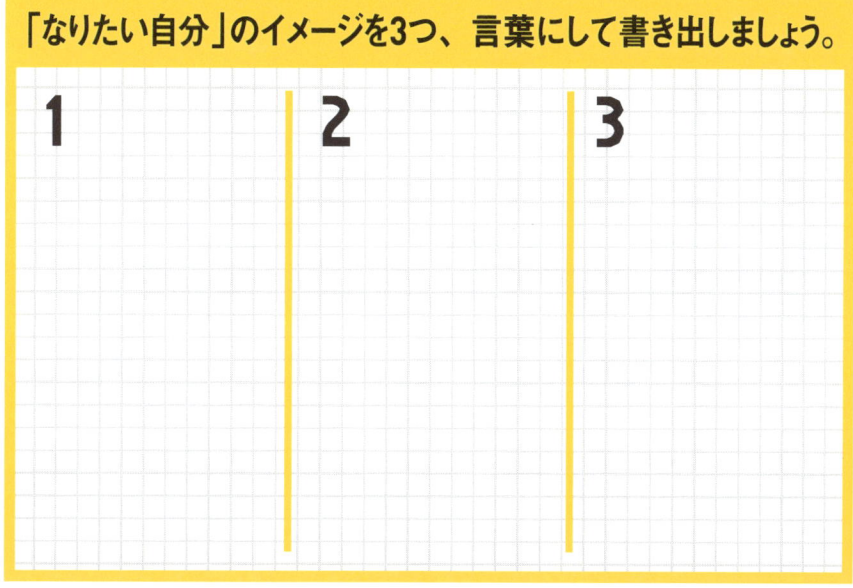

つければ、このような人たち以上に成果を上げ、評価を受けられるようになるのはもちろん、彼らよりももっと大きなゴールを達成することができるようになります。

その意味で、アファメーションは、目的的志向を働かせ、自動的に人生のゴールを達成するための方法と言うこともできるでしょう。

PART1 RULE-011 WORD
あなたの夢を食いつぶす「ドリームキラー」に気をつけろ！

［善意の人 ドリームキラー］

人生のゴールを思い描いたとき、もし周囲にそのゴール設定を邪魔するような人間がいたら、叶うはずの夢も叶わなくなります。

このように他者のゴールに何らかの影響を与えて、ゴールそのものを諦めさせる存在をドリームキラーと呼びます。

ドリームキラーとは文字通り、「夢を殺す、壊す、諦めさせる、邪魔をするような人」のことを指します。

そして、厄介なことにそのような人

ドリームキラーという存在

コンフォートゾーンが高い人

コンフォートゾーンが低い人

コンフォートゾーンが低い人は自分のコンフォートゾーンを乱される

↓

コンフォートゾーンの高い人の足を引っ張ろうとする

32

PART1 人生を変える「言葉」と「思考」を知ろう | WORD

人生のゴールは秘密にしておく

では、どうしてドリームキラーは他者のゴール設定やその達成を邪魔しようとするのでしょうか。その源泉は自分のコンフォートゾーン（居心地の良い空間）が、そうでなくなる恐怖心にあります。

たとえば、人生のゴールを達成したときを、想像してみてください。そのときのあなたは、現状のコンフォートゾーンとはまったく異なる、遠く離れたコンフォートゾーンにいます。

コンフォートゾーンとは、心地よく感じ、ごく自然に行動や思考ができるゾーンのことですが、ゴールを達成したあなたにとって、そういう場所や環境こそが、一番快適で自然

は、両親や家族、恋人や親友、学校の先生など身近なところに存在して、悪意ではなく、むしろ善意から夢をつぶそうとしているのです。

にふるまえる新しいコンフォートゾーンになっているわけです。

すると、今まで同じ空間を共有していた者、特に自分の家族などの近しい人にとっては、それは自分だけが取り残されたかのような疎外感と孤独感、恐怖心を喚起します。

だから、新しいゴールに何がなんでもコンフォートゾーンが低い人は自分のコンフォートゾーンを乱されることを極度に警戒します。

そして、コンフォートゾーンの高い人の足を引っ張ろうとするのです。

人生のゴールは、そっと自分だけのものにしておきましょう。

それを伝えてもいいのは、専門的知識と技能を持ったコーチングの専門家だけです。

「自分の夢を誰かと分かち合いたい」という気持ちは、あなたをゴールから確実に遠ざけることになるでしょう。

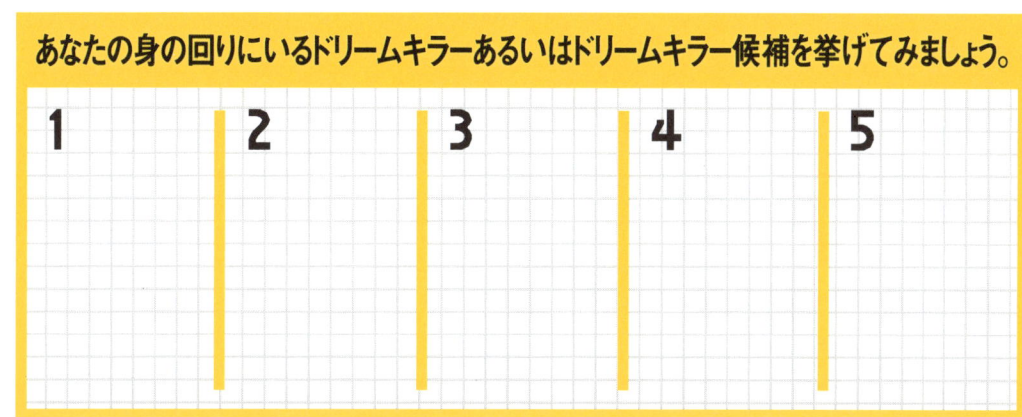

あなたの身の回りにいるドリームキラーあるいはドリームキラー候補を挙げてみましょう。

1 2 3 4 5

RULE_001-014

PART2

IMAGE

人生を変える
「イメージ」の
作り方を学ぼう

PART 2

RULE_001

他者による洗脳から自由になる！

IMAGE

[親の言葉が行動を決める]

人間の行動パターンを決めるのは前頭前野におけるブリーフシステムの働きです。ブリーフとは「信念」のことで、これにもとづいて人は行動（ハビット）や選択（アティテュード）を実行します。そして、そうした一連の働き自体をブリーフシステムと呼んでいるのです。

信念と聞くと、「その人独自のものの考え」といったような印象を受けますが、ここで私が言う「ブリーフ」とは、すべて他者からの影響の

自らを「洗脳」してしまう過程とは？

君には無理だよ！

成功するはずない！

もっと現実を見なさい

ドリームキラーからのネガティブな言葉

自分は何をやっても駄目な人間なんだ……

エフィカシーが低下し、それに見合った低いゴールしか設定できなくなる！

36

PART2 人生を変える「イメージ」の作り方を学ぼう | IMAGE

共同体の中での「洗脳」から自由になる

こうした他者からの洗脳は、大人になってからも続きます。たとえば、あなたが会社を辞めて起業をしようとしたとします。そうしたとき、周囲の人間は「君には無理だよ」「もっと現実を見なさい」「安定した仕事をどうして捨てるの？」といった一見親身に思える言葉をあなたに投げかけるかもしれません。しかし、それが洗脳なのです。彼らには現状のあなたしか見えていません。そして、その範囲内で常識的な判断をし、あなたにアドバイスを与えます。あなたはその言葉に影響されて、自分の夢を諦めてしまうかもしれません。

これはドリームキラーと呼ばれる人たちによる典型的な洗脳のパターンですが、そうした洗脳の中にあると、エフィカシーが低下して、現状の範囲内の間違ったゴールを選択してしまうことになります。

もとに形成されたものです。特に子どもの頃に親が発した言葉はブリーフシステムに多大な影響を与えると言われています。たとえば、コーヒーはカフェインが入っていてからだによくないと親から言われ続けた子どもは、大人になったとき、コーヒーを飲まなくなるでしょう。あるいは、コーヒーか紅茶のどちらかの選択を迫られたとき、紅茶を選ぶでしょう。

その他にも学校教育の現場やテレビやネットなど、様々な情報によって、ブリーフは形成されます。すなわち、ブリーフシステムとは自ら主体的に作り出したものではなく、他者からの洗脳の結果、生まれたものなのです。

したがって、自分の真の夢を実現するためには、他者やマスコミなどの言葉が作り出す洗脳から自由になる必要があります。そのためには、現在のあなたのブリーフシステムを抜本的に変革する必要があるのです。

他者による「洗脳」から解放される！

1 他人から指摘されることが多い自分のコンプレックスを書き出す
例）体格が貧弱で威厳がない

2 1の内容をプラスの意味に置き換え、エフィカシーを高める
例）小柄だから威圧感がなく親しみやすい

3 2で書き出した内容にふさわしいゴールを設定する
例）優雅な立ち居振る舞いを身に付け、日本のフレッド・アステアになる！

PART 2

RULE_002 IMAGE

努力せずにアファメーションの効果を上げる方法

[高い自己イメージを維持する方法]

アファメーションを用いることで、強い自己肯定を行い、それによってエフィカシーを上げてゴール達成を確実にする方法はすでに述べました。ここではさらに、より抽象度を上げた効果的なメソッドを紹介しましょう。

それは「トリガー」と「アンカー」という概念を用いたものです。アンカーとは船の錨のことで、無意識下にある特定の記憶や意識状態のことを指します。一方、トリガーは銃の引き金のことで、アンカーを水面下から引っ張りだす契機となる言葉や記号、暗示といった情報。トリガーがきっかけとなって、無意識下にあるアンカーが作動して、無意識状態が強い臨場感となって意識の表面に引き出されるのです。

たとえば、参考書の重要なところに蛍光ペンで線を引くことも同じです。自分の覚えやすい意識状態（アンカー）を、ペンを使うこと（トリガー）で作り出しているのです。

アファメーションにおいては、夢の実現に向かってやる気になっている無意識状態や自己イメージをアンカーとして設定します。アファメーションを行えば、夢に向かう臨場感が高まりますが、翌日になると、自信が揺らいで不安な気持ちになります。

その疑念をすぐに打ち消すために最低でも1日2回、朝晩にアファメーションを繰り返し、そのときに必ず音楽をかけるとか、膝に手をやるとか、トリガーとなる行為を行います。それらを実行することでアンカーが作動し、高い自己イメージを維持している無意識状態が顕在化するのです。

このとき大切なのは、徹底してリ

38

PART2 人生を変える「イメージ」の作り方を学ぼう　|IMAGE

アファメーションの効果を高める「トリガー」

音楽

飲み物

自分ってすごい！

アファメーションを行うときに、音楽を聴いたり好きな飲み物を摂取したりするなど、トリガーとなる行為を繰り返す

その音楽を聴いたり、飲み物を摂取したりするだけでアファメーションに臨場感を覚えるようになる

「トリガー」に不可欠な「アンカー」の存在

1. 自己肯定したい内容を書き出す

⬇

2. 1で書き出した内容を1日2度（たとえば朝と夜）、トリガーとなる行為を伴いながらアファメーションを行う

⬇

1と2によって無意識下に特定の意識状態が育ち、トリガーによってそれが簡単に引き出せるようになる

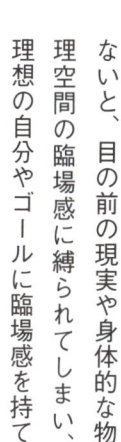

ラックスすること。リラックスできないと、目の前の現実や身体的な物理空間の臨場感に縛られてしまい、理想の自分やゴールに臨場感を持てなくなるからです。これを徹底すれば、トリガー行為を行うだけで強い臨場感を伴う無意識を作り出せます。

1日に何度でも、「夢に向かう自分」をイメージできるようになれば、無意識にゴールを目指すことができるのです。

PART2 RULE_003 IMAGE
自分の価値観を明らかにする5つの方法

自分の価値観を明らかにする5つの方法

1. 心臓を取り出すことを想像してみる
2. 自分が死に直面している状況を想像（経験）してみる
3. 肉体的もしくは精神的な「痛み」を経験する
4. 自分にとって最高の幸福とは何かを確かめる
5. 厳しい質問を投げかける

1〜5のうち、人間は2によって自分が快適に過ごすことができる内的・外的環境をつくろうとし、3によって自分の核となる価値観（自由や正義）に目を向けるようになる

[自分の中の価値観がゴールを決める！]

夢やゴールを設定するためには、自分の価値観を明らかにすることも必要になってきます。価値観をはっきりさせれば、あなたの将来のビジョンは、より鮮明に描くことができます。そのためにルー・タイスは、次の5つのことを試すよう勧めています。

① 自分のからだから心臓を取り出して、手のひらに載せるところを想像してみる。目を閉じて、強くイメージします。

40

PART2 人生を変える「イメージ」の作り方を学ぼう | IMAGE

自分にとって大切なものを順番に5つ挙げてみましょう。

1.
2.
3.
4.
5.

あなたの心臓を取り出して、2分間、手のひらに載せてください。その状態で、自分にこう問いかけます。「私が自分の人生で最も望むことは何だろう？」と。

②命が脅かされる出来事を想像（あるいは経験）してみる。

命が危険にさらされているとき、人間は自分にとって一番大切なものが何か、はっきりと理解できます。

③痛みを経験する。

自らの痛みを経験することは、相手の痛みを想像できることにつながります。ルー・タイスは、痛みは自由や正義といった、その人間の核となる価値観に目を向けさせると言っています。

④自分が本当に幸せだと感じるものは何かを考える。

心からの幸せを感じる対象は人によって異なるでしょうが、その上位にくるものは、豪邸や高級車といった物質的豊かさを手に入れることではない場合がほとんどです。むしろ、

成熟した人間は、自分が何かを手に入れることよりも、他人に与えることに幸せを見出します。

⑤厳しい質問を投げかける。

自分に厳しくこう尋ねてみましょう。「私はこの人生で何に最も価値を見出すだろう？」「何に対して闘うだろう？」「何のためなら命を賭けられるだろう？」といったような厳しい質問を自分に投げかけましょう。答えとしては、自由、権利、愛する者、生活、健康、自然……など、いろいろなものが考えられますが、あなたも6つか7つ、自分にとって大切な事柄を挙げてください。それらを大切な順に並べていくと、何を人生の目標にすべきかがはっきりしてきます。

こうすることで、自分が本当にどんな人生を送りたいのかが、より鮮明に見えてくるはずです。それはあなたが心から望む人生であり、自らの「生」のクオリティを決める極めて重要な価値基準となるでしょう。

41

PART 2 RULE_004 IMAGE

「しなければならない」を捨てれば生きることが喜びであふれる

[「やらされる」から「やりたい」へ]

ゴールを達成する上で、「したい＝want to」という思考ほど重要なものはありません。というのも、「したい」という意識は、強烈な創造力を生み出すからです。そして、結果的に現状を抜けて目的地に主体的に向かうことになるのです。

一方、「しなければならない＝have to」という意識は、人間にそれをするように仕向けるのではなく、逆に潜在意識がそれをしなくていい理由をいくらでも創出します。労苦から逃れるために、逃避や回避の行動をとらせるのです。

あなたが現状を抜け出して自らが目指す「目的地」に向かうことは、もはや「しなければならない」ことではありません。それは、あなたが「したい」ことにほかなりません。そのためにあなたがとる必要な選択と行動は、そのすべてが「したい」「選ぶ」「好む」という気持ちから沸き起こります。

このようなポジティブな動機を持てば、問題の解決、対立の解消、満足できる最終結果というポジティブなイメージが潜在意識に刷り込まれてがベストの結果と言うことができます。「したい」と考え、持てる力を注いだことは、どんな結果が出たとしても、その結果に責任を持つこ

とができます。「したい」にもとづいた選択と行動によってもたらされた結果は、すべてがベストの結果と言うことができます。「したい」と考え、持てる力を注いだことは、どんな結果が出たとしても、その結果に責任を持つこ

質の高い、自信に満ちた人生を築くことができません。これに対して、「しなければならない」というネガティブな思考を基準にすると、

ます。そして、このことが、最終的にイメージを満足感、達成感、喜びの感情と結びつけ、目標達成を楽しいものにしてくれるのです。

ます。

PART2 人生を変える「イメージ」の作り方を学ぼう | IMAGE

「want to＝〜したい」と「have to＝〜すべき」のちがい

have to＝〜すべき
↓
潜在意識が現状を維持しようとする
↓
設定したゴールを達成しなくていい理由を創り出そうとする
↓
ゴールの到達に失敗しても、「本当はやりたくなかった」という言い訳ばかりする

want to＝〜したい
↓
強い創造力を生む
↓
高く設定したゴールも到達率が高くなる
↓
ゴールに到達できなくても、「自分の意志」が原動力なので結果に責任を持てる

「have to＝〜すべき」を「want to＝〜したい」に変える!

自分が「have to＝〜すべき」と考えていることを書き出す
例）自分は長男だから結婚したら親と同居すべき

これまで自分がとってきたアティテュードをなんでもいいから変える
例）子どもが出来るまで夫婦ふたりで生活するのもよいと思う
↓
アティテュードが一つでも変化すると、それに伴うブリーフシステムも変わる

とができるからです。一方、「しなければならない」として行った選択と行動によって悪い結果が出たときには、すぐに「本当はやりたくなかった」という言い訳を生みます。「しなければならない」という考えには、結果を受け入れ、責任をとる意思が欠如しているからです。

PART2

RULE_005 | IMAGE

外部の言葉を受け入れることによって人間のブリーフシステムは形成される

[不登校のメカニズム]

ルー・タイスは、「何を達成するかは、ほとんどの場合、何を信じるかによって決まる」と述べています。「何を信じるかによって決まる」というのは、どのようなブリーフ（信念）を持っているかによって、あなたが達成できる夢やゴールが決まるという意味です。

ブリーフとは、認知科学的に言えば、その人の前頭葉の前頭前野につくり上げられた認識のパターンのことです。たとえば、学校で友だちの

あなたの行動を支配する「ブリーフ」とは?

言葉A → 👤 ← 言葉C
言葉B →

「ブリーフ」とは様々な言葉（態度も含む）を受け入れ、脳に形成された、行動の規範となる「信念」のこと

行動A ↑
← 行動B 👤 行動C →

マイナスの「ブリーフ」が形成されると、それが鎖となり、人間としての成長・飛躍が阻害される

44

PART2 人生を変える「イメージ」の作り方を学ぼう | IMAGE

「ブリーフ」が認識のパターンを決める

認識のパターンが、人間が持つブリーフシステム（信念体系）です。

ブリーフは、言葉を受け入れることによってつくられます。その人に、「私は、人前で話したり、何かをしたりするのは苦手だ」というブリーフがあるとしたら、他人がそう吹き込んだか、誰かに人前でちょっとした失敗を笑われたか、そうした他人の言葉を受け入れたことによってそれが生み出されたと言えます。ちなみに、言語世界では他人が示す態度も言葉のひとつです。

このように、外部の言葉を受け入れることによって生み出されたたくさんのブリーフが、人間のブリーフシステムを形づくっているのです。

こうした他動的なブリーフを変えるには、現状よりもハイランクの将来の自分を思い描き、新しいゴールを設定する必要があります。

いじめに遭い不登校になった子どもには、学校は命さえ落としかねない恐ろしいところという認識が生まれます。

その子どもは、いじめをする友だちのことを思い出したり夢でうなされたりするたびに、その強烈な恐怖体験をくり返し追体験します。すると、しだいに前頭前野に認識のパターンがつくり出され、しまいには会話の中に「学校」という単語が出てくるだけで、からだに震えがくるような重い症状をきたし、最悪の場合、トラウマが形づくられます。

こうして、学校に関連する物事を友だちの苛酷ないじめに結びつける認識のパターンが生まれることによって、先生の名前を聞くだけでからだが震えるという反応が起こるわけです。

不登校の子どもの例は極端かもしれませんが、人間は例外なく、前頭前野にいくつもの強固な認識のパターンをつくり上げています。このパターンをつくり上げています。

あなたの「ブリーフ」を変える方法

1 現状よりハイランクの将来の自分の姿を描く

2 1を実現するための新しい人生のゴールを設定

↓

1を行うことで、具体的なゴールを設定することができる
そして2によって現状のゴールよりも視野が広がり、
より大きな世界を見ることができるようになる

PART2 RULE_006 IMAGE
自己イメージを破壊することで飛躍的に成長する！

[自分に対する固定観念を捨てる]

人生のゴールを達成しようと思うなら、まず自己イメージ（他者が自分をどう見ているかを想像することで得られる、自身が作り出す自分の印象）を変える必要があります。現状の自己イメージに縛られていれば、あなたが本当に望むゴールを見つけることはほぼ不可能です。

では、どうすれば自己イメージを変えることができるのでしょうか。答えは、現状のブリーフシステムを壊すことです。そして、現状のブリーフシステムを壊すためには、「自分はこうあるべきだ」「自分はこうでなければならない」と思い込んでいるこれまでの固定観念に縛られたブリーフをすべてそっくり破棄してみることが重要です。

たとえば、仕事には満足できないが、自分には高い学歴があり、いまの大企業勤めを辞めるわけにはいかないと考えてきた人なら、「本当にやりたい仕事を探すために会社を辞めます」と上司に宣言した瞬間に、現状のブリーフシステムは壊れます。

フシステムを壊すためには、「自分はこうあるべきだ」「自分はこうでなければならない」と思い込んだ瞬間に、これまでのブリーフシステムは壊れてしまうのです。

かっていないとしても、いまの仕事はこうで辞めてそれを見つけるための行動に踏み切った瞬間に、これまでのブリーフシステムは壊れてしまうのです。

現状のブリーフシステムを打ち壊し、新しいブリーフシステムを獲得すると、これまで思いもよらなかった人生のゴールが見えてきます。たとえば、「私は知的でおしゃれな人間だから、ファッション雑誌の編集者に向いている」として、誰もが知っている有名出版社に勤めていた人が、数年後、いつのまにか田舎で農業をしていたというような例はい

本当にやりたい仕事がまだ見つ

46

PART2 人生を変える「イメージ」の作り方を学ぼう | IMAGE

自己イメージとブリーフシステムの関係とは?

「言われてみれば……」 自分　他人 「君は〇〇だね! ××でもある」

「自分は〇〇で××だな!」

他人が発して自分が認めた情報がブリーフシステムを形成する

「自分は〇〇で××な人間です!」

ブリーフシステムに基づいた「私はこういう人間です」という確信が「自己イメージ」

成長を阻む自己イメージはこう壊せ!

「自分はこうあるべき」と考えていることを書き出し、それらを否定する

「自分はこれはよくない」と考えていることを書き出し、それらをポジティブな内容に置き換える

自己イメージを壊すことは本当の自分を見つけるためのプロセス

くつもあります。現状の固定的なブリーフシステムが崩れたことで自分の可能性に気づき、他人がびっくりするような飛躍を遂げることができるのです。

このように、新しい自己イメージとブリーフシステムの獲得プロセスは、自分が本当に望むことを発見するプロセスでもあります。ちなみに、私のことを引き合いに出せば、私の人生のゴールは「戦争と差別のない世界をつくること」です。

PART2

RULE_007 | IMAGE

「プライミング」を仕掛けることでゴール実現へのモチベーションがアップ！

[行為へ至る前に脳内に流れるドーパミン]

アファメーションで自分の夢やゴールを書き出したとき、なぜそうなると嬉しいかといった理由も同時に書き出すことが重要です。

たとえば、起業家になって成功するという夢に対してならば、「女性にモテる」や「外車に乗れる」など、思いつくことならば何でも構いません。「好ましい」と思う理由を書き出すのは、その目標に対する自分のモチベーションを高めるためです。機能脳科学的に言うと、脳に「プラ

「プライミング」とは？

プライミング
＝
夢やゴールが実現した時に、
それに付随する楽しいこと、
好ましいことを想像して気持ちよくなること

→

「自分が起業家として成功して億万長者になったら……」
「お金が儲かる」
「美女にモテモテ」
「社会的に尊敬される」
「球団が買える」

脳内にドーパミンが流れて気持ちよくなり、実際に「社長」になるという行動に向かう

プライミングが働く脳をつくり、高いモチベーションを保持する！

48

PART2 人生を変える「イメージ」の作り方を学ぼう　IMAGE

イミング」という現象を起こさせるのです。

「こうなると気持ちいい」と考えると、脳内には実際に行動するよりも先にドーパミンが流れ、その行動に向かわせます。プライミングとは、そうした一連のメカニズムのことを言うのです。

たとえば、好きな女性と初めてデートをするとき、男性は相手に好印象を与えようとして、明日着ていく服やデートプランを念入りに考えたりします。

ふだんだったら、面倒で憂鬱なことでも、デートというご褒美を前にすると、すべてがハッピーに感じられるからです。

種の保存のための　プライミング

プライミングは実は種の保存という原初的な欲求を支えるためのシステムです。人間を含む動物は種の保存に結びつくことをすると、脳内にドーパミンが流れます。

しかも、性交という行為に至る前に流れ、生物を性交へと促します。なぜならば、性交に伴う快楽は一瞬であり、それだけでは生物を性交へと駆り立てないからです。プライミングというシステムがあるからこそ、種の保存のための行為へと向かわせるのです。

ところで、人間は他の動物に比べて、プライミングのメカニズムが発達しているため、より抽象度の高い世界に対してもプライミングを働かせることができます。

たとえば、「戦争や飢餓のない世界を実現させたい」といった高次元の目標にも、プライミングを仕掛けることは可能なのです。

ゴールの実現に向かい、積極的にプライミングが働く脳をつくれば、高いモチベーションが維持できます。そのためには、「好ましい」と思うことを書き出していく行為が大切になります。

自分の夢やゴールを実現したときのことを思い浮かべて、なぜそうなると嬉しいかという理由を書き出してみてください。

PART 2
RULE_008 IMAGE
成功を邪魔する情動記憶を消すことでゴール達成に近づく

【ハビットとアティテュードに変化をもたらす】

人間の行動はブリーフシステムによって無意識のうちに決定されます。そして、このブリーフシステムを形づくっているのが過去の強い感情を伴った記憶、すなわち情動記憶です。

たとえば、過去に親に「コーラを飲むと虫歯になるから飲んではダメ」と強く叱責されたことがあれば、それが情動記憶として刻まれ、前頭前野に「コーラを飲んではいけない」というブリーフシステムが形成されます。そして、それは現実世界においては、ハビットとアティテュードとして表出されます。

ハビットとは一般には習慣と訳されますが、この場合は日常生活の中で無意識に行うことすべてを指します。先の例で言えば、他人にコーラを勧められても、それを断るという行為として具現化します。

これに対して、アティテュードは行動の性向、あるいは無意識の選択を意味します。たとえば、コーヒー、紅茶、コーラの中から飲み物を選ばなければならない状況で、無意識にコーラを選ぶことを避けるようなことです。

このようなハビットやアティテュードは過去の記憶、情動記憶によって形づくられますが、両者は必ずしも現在のゴールと合致しているわけではありません。むしろ、現状を固定化することで、ゴールへと至ることを阻害するおそれがあります。

私たち人間は、放っておくと現状を肯定し、いつまでも同じ状態であろうとします。なぜならば、慣れ親しんだ思考様式や習慣の中に居ることのほうが、現状の外（それは未知なる世界であり、恐怖の対象でもある）に出るよりも安心で心地いいか

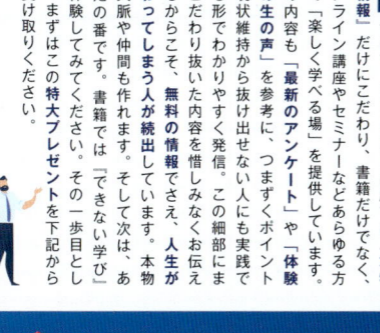

まずは「この情報」を仕入れてください！

は、「あなたは新たなことを学び続けるしかない」のです。

では、何を学べばいいのでしょうか？ そこで、フォレスト出版では『本物の情報』だけにこだわり、書籍だけでなく、オンライン講座やセミナーなどあらゆる方法で「楽しく学べる場」を提供しています。

その内容も「最新のアンケート」や「体験者の生の声」を参考に、つまずくポイントや現状維持から抜け出せない人にも実践できる形でわかりやすく発信。この細部にまでこだわり抜いた内容を惜しみなくお伝えするからこそ、無料の情報でさえ、人生が変わってしまう人が続出しています。本物の人脈や仲間も作れます。そして次は、あなたの番です。書籍では「できない学び」を体験してみてください。その一歩目として、まずはこの特大プレゼントを下記からお受け取りください。

THE SECRET GIFT

🎬 🔊 **動画や音声も完全無料！**

フォレスト出版が誇る、人生を変革させるプロフェッショナル達が『自分らしく生きる心構え』を動画や音声で徹底解説！

1 見て聞いてはじめて分かる！
エニアプロファイルのキーポイント
「一瞬で印象を操る＆ズルい話し方 相手の脳にこびりつくコミュニケーション術」
岸 正龍

2 "先に祝う"ことで願いを実現！？
予祝(よしゅく)のススメ
「前祝いの法則」
ひすいこたろう＆大嶋 啓介

3 「お金」と「人間関係」を
変える絶対的な法則とは？
「世界に1つ あなただけの『魔法の言葉』」
佐藤 由美子

4 脳にマインドトリックを
仕掛けるイメージワーク
「なぜかうまくいく人のすごい無意識」
梯谷 幸司

\ 『豪華11大プレゼント』の請求方法 /

https://frstp.jp/sb2j
URLかQRコードに今すぐアクセス！

無料 ¥0

※本特典はWeb上で公開するものであり、CD・DVDなどをお送りするものではございません。
※本特典は予告なく終了する場合がございます。予めご了承ください。

自分らしく生きるための逆転のスキルを無料で学べる！

FREE

THE SECRET BOOK ONLINE

https://frstp.jp/sb2j
URLかQRコードに今すぐアクセス！

※本特典はWeb上で公開するものであり、CD・DVDなどをお送りするものではございません。
※本特典は予告なく終了する場合がございます。予めご了承ください。

PART2 人生を変える「イメージ」の作り方を学ぼう | IMAGE

情動記憶が作り出す「ハビット」と「アティテュード」

ブリーフシステム

ハビット
（習慣化された無意識の行動）

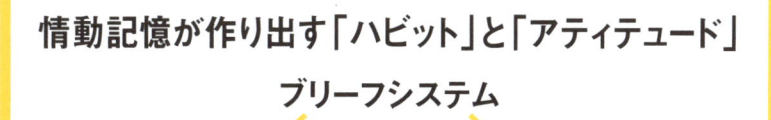

例）朝にコーヒーを飲むという習慣

アティテュード
（行動の性向・無意識の選択）

例）コーヒーか紅茶かと問われて、コーヒーを選択する

↑ 情動記憶（強い感情を伴う記憶）によって形成

ハビットもアティテュードも
ブリーフシステムによって表出した行動パターン
↓
ハビットとアティテュードを変えない限り、
真のゴールにはたどり着けない

あなたがふだん無意識のうちに行っている行動（ハビット）と選択（アティテュード）をそれぞれ1つずつ挙げてください。

ハビット	アティテュード

らです。そして、もしも少しでも現状の外に出ると、元に戻す力（ホメオスタシス）が働き、自分にとって居心地のいい状態（コンフォートゾーン）が維持されるのです。

しかし、現状のコンフォートゾーンの中に居続けて、過去の情動記憶が作り出したハビットとアティテュードに縛られたままでは、あなたが目指す本当のゴールにはたどり着けません。ゴールを達成するには過去の情動と、それが生み出したハビットとアティテュードからなるブリーフシステムのドラスティックな改変が必要になるのです。

PART 2

RULE_009 | IMAGE

今までと違う行動をとることで新しい世界が見えてくる

心理的盲点（スコトーマ）はなぜできるのか？

Aさんは優しい人です！

Aさんは自分に優しくしてくれた

これまでの経験によってつくられたブリーフが、一種の思い込みを形成し、自分が見たいものしか目に入らなくなってしまう

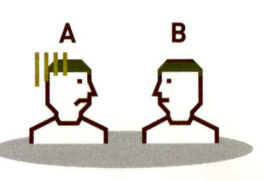

A　B

優しいAさんを怒らせるなんて、Bさんが悪いことをしたんだな

［ 思い込みが生み出す死角 ］

現状のブリーフシステムを壊すという課題は、じつはスコトーマ（心理的盲点・死角）とも密接に関連しています。

人間の思い込みは、物理的な障害物だけでなく、大きな死角を生み出します。たとえば、家から急いで出かけようとしたときに、財布が見つからなくなったことはないでしょうか。しかも、あなたはこれから大切な出張に出かけなければならないのに、間の悪いことに新幹線のチケッ

52

PART2 人生を変える「イメージ」の作り方を学ぼう | IMAGE

心理的盲点（スコトーマ）の克服法

1 自分の現状について書き出し、それを否定する

2 現状よりも抽象度が高い新しいゴールを設定する

1と2を行うことで、現在の自分を縛っているブリーフが破壊され、それまで死角だった部分にまで視線がいくようになる。

スコトーマが現状の外を見えなくさせる

トは財布の中にあります。こんなときは、「財布がない！」という焦りがどんどん膨らんでいきます。いたずらに時間が過ぎ、焦りが募れば募るほど、財布を見つけることができなくなっていきます。しかし、何かの拍子でテーブルの上に無造作に投げ出された財布が目にとまります。「そこは何度も捜したはずなのに！」と、あなたは狐につままれたような気分になるわけです。認知科学的に見れば、これは思い込みが障害物になって、死角をつくりだしたことが原因と言えるでしょう。「財布がない！」と強く思い込むことによって、目の前にある財布が視界から消えてしまったわけです。

人生のゴールを考える上で、ブリーフシステムを壊すこととスコトーマの関係は、かなり難しい問題です。何とかして人生のゴールを達成しようと思っても、あなたに見えている世界が昨日と同じ現状であれば、どんなに努力したところで不満を解消することはできないでしょう。なぜなら、人生のゴールを達成する具体的な方法は、いまあなたが見ている現実世界にはなく、スコトーマがかかっていまは見えていない現状の外側にあるからです。

現状のブリーフシステムを壊すためには、アティテュードを変えることも一つの方法です。アティテュードの変え方はいろいろありますが、自分が持つ現状のブリーフやブリーフシステムとはまったく逆の考えと立場を意識的にとることが、一番いいかもしれません。

たとえば、会社の上司に不満があるのに、唯々諾々と従わざるをえない場合、思い切ってその上司に罵声を浴びせてはどうでしょうか。そうしたことで、いままで見えなかった世界が見えてくるかもしれません。

PART 2 RULE_010 IMAGE

「スマートトーク」でポジティブで前向きな自分に生まれ変わる

[ゴール達成のためのスマートトーク]

あなたは、これからしばらくの間、自らにどのように語りかけているか、自分のセルフトーク（自分に向かって語りかけること）を注意深く観察してみてください。

そして、そのときどきのセルフトークから、さげすみ、皮肉、嫌味、敵意、自分や他人に対する過小評価など、ネガティブな言葉をすべて排除するよう努めてみましょう。

それがスマートトーク（ポジティブなセルフトーク）を自らに習慣づける秘訣です。

あなたが行うスマートトークの内容は、他人に対する肯定的な評価、そして自分に対する肯定的な評価です。

ただし、声に出さずに、自分にだけこっそりと言うようにしてください。

とくに、「私はいったい何という無駄なことをしているんだ」とか「こんなに頑張っているのにどうして評価されないんだ」「あいつだけは絶対許せない」といった否定的な考えは、決して持ってはいけません。自分に対していまいましい感情が湧くようなときは、「私らしくない」とか、「これはいい経験になった」というように考え、そのときの判断や行動を修正してください。

過去のことを後悔しても、無意味であり、現在に悪影響しか与えないからです。過去はいかなる形でもあなたを縛ることはできませんから。

そして、次に同じ状況になったときに何をすべきか考え、「次は成功するし、私ならやり遂げられる」と語りかけるようにしましょう。

正しいことをしているときは、「私はよくやっている」「私は正しい」と言いましょう。

54

PART2 人生を変える「イメージ」の作り方を学ぼう | IMAGE

また、自分のことを批判する人間に対しては、「他人は所詮、過去の自分のイメージでしか判断しない」「自分の評価は他人ではなく自分が決める」と強く言い聞かせるのもいいかもしれません。

これが、自分の内面に意味のある永続的変化を起こさせる、大きな第一歩です。

ただし、スマートトークによって新しい自己イメージとブリーフを獲得したとしても、それで安心してはいけません。自己イメージは常に継続的に修正していく必要があるからです。

セルフトークで自己イメージを変える!

- 自分にできることなんて何もない…
- 自分はなんて駄目なやつなんだ…

自らへの語りかけ＝セルフトークがネガティブなら、無意識に自分にブレーキをかける潜在意識が育つ

- 私なら最高の結果を出せる!
- 私がやらねば誰がやるんだ!

ポジティブなセルフトーク＝スマートトークにより成長しようとする潜在意識が育つ!

スマートトークのポイントとは?

1 じっくりとセルフトークに耳を傾け、そのなかでネガティブな内容を書き出し、否定するかポジティブな内容に置き換える

2 セルフトークでポジティブな内容を書き出す

1と2によって、新しい自己イメージとブリーフを獲得できる

PART 2

RULE_011 IMAGE
「目的的志向」を身につけるための8つの原則

[ゴール達成をサポートする心強い考え方]

ルー・タイスは、目的的志向を身につける8つの原則を挙げましたが、それを日本人的な感覚にアレンジして紹介してみましょう。

○目的的志向の原則1　行動を起こす前に心の準備を整える

目的的志向を働かせ、ゴールを達成するには、まず現状を解消しなくてはなりません。新しいコンフォートゾーンを獲得し、その新しいコンフォートゾーンで快適にふるまう自分をできるかぎり遠く離れたところに設定してください。

○目的的志向の原則2　イメージの中の現実を変える

己イメージをつくりあげるのです。新しいイメージを強く視覚化すると、人間はそれまでの古いイメージに不満を覚えます。そして、それが大きなエネルギーになって、問題解決やゴール達成に向かわせるのです。

○目的的志向の原則3　目標の設定は「そこまで」ではなく、「その次」を考える

ゴールを設定するときは、現状から

○目的的志向の原則4　普通ではないことを普通にする

いまのあなたにはほど遠い、冒険的なライフスタイルも、エキサイティングな事業も、それを内的な経験として潜在意識に強くイメージし、その経験を潜在意識に刷り込んでいくことで、普通に実現できることになります。

○目的的志向の原則5　機会を逃さず、自分に逃げ道を与えない

逃げ道を用意するネガティブな気持ちは、あなたの潜在意識を動かして、あなたの目的的志向を働かなくさせてしまいます。

56

PART2 人生を変える「イメージ」の作り方を学ぼう | IMAGE

目的的志向を身につける8つの原則

1. 行動を起こす前に心の準備を整える
2. イメージの中の現実を変える
3. 現状の近くではなく、できるだけかけ離れたところにゴールを設定する
4. 現状の自分には普通でないことを肯定し、それが成功することをイメージする
5. 機会を逃さず、自分に逃げ道を与えない
6. 自分の価値にふさわしいものを選ぶ
7. ゴールに向って成長する
8. ゴールを達成するために必要なリソース（資源）について心配しない

目的的志向を身につけるためのプロセス

1×3×7
（新しいゴールを設定）

現状を書き出す

2 不満を書き出す

☐ 4ができている
☐ 5ができている
☐ 6ができている

1〜7を実現すると、それまでよりも視野が広がり、「リソース」の存在に気づくことができる！（8の実現）

○目的的志向の原則6　自分の価値

いまの自分には大きすぎると思うようなゴールを設定することから始めましょう。大きなゴールを掲げることができたら、それに向かって自分を成長させていきます。

○目的的志向の原則7　ゴールに向かって成長する

人生のゴールを達成したときの自分の価値にふさわしい考え方をしましょう。

○目的的志向の原則8　リソースについて心配しない

人生のゴールを設定する際には、あらかじめリソース（資源）を考慮に入れる必要はありません。なぜなら、ゴールを設定すればスコトーマが外れ、いままで見えなかったリソースの在り処が見えるようになるからです。

PART 2 RULE_012 IMAGE

ゴール達成のための3要素は イメージ・言葉・情動

[目的的志向を支援する]

目的的志向を働かせて、人生のゴールを達成するのに重要な3つの要素をまとめると、次のようになります。

① イメージ

将来像への新しいイメージを持てば、あなたの五感すべてがそのイメージに照準を合わせるようになります。見るもの、聴くもの、触るもの……など、すべてがこれまでとは違ってくるはずです。

目的的志向を働かせるための3つの要素

イメージ

自分の将来の自己イメージ。ゴールを達成したときの自分はどのような姿をした自分なのか、どのような環境で仕事をし、どのように人々を指導しているか、どのような家族とどのような時間を過ごしているか、将来の自己イメージをつくる

言葉

目的的志向をうまく働かせるために自分が使う言葉。将来に対して新しいイメージを持つと、ゴール達成に必要なすべてが、「したい」「選ぶ」「好む」というセルフトークに変わる

情動

ゴールを達成した自分というゲシュタルトを、脳に選択させるのに必要なもの。ゴールに向かう情熱の源

PART2 人生を変える「イメージ」の作り方を学ぼう　IMAGE

②言葉

目的的志向をうまく働かせるためには、自分が使う言葉に注意を払わなければなりません。これまで説明したように、何を話すかは、あなたのブリーフをつくり出します。言葉の選択によって、あなたはよい方向にも悪い方向にも導かれるのです。

将来に対して新しいイメージを持つと、ゴール達成に必要なすべてが、「したい」「選ぶ」「好む」というセルフトークに変わってきます。もし変わってこなければ、思い浮かべているゴールが本当に望む人生のゴールではない、ということです。

新しいイメージは、現状に対する不満をも鮮明にするはずですが、そのせいで現状への不満に囚われた思考をくり返し、周囲の人の悪口をいったり、自分が置かれた状況を呪ったりしてはいけません。周囲の人や環境のせいにする自己正当化は、結果的に現状を肯定する方向に作用します。

③情動

情動がなければ、ゴールに向かう情熱も湧いてきません。実は、目的的志向が働くときは、ゴールを実現する自分の姿がいまの現実よりもリアルに感じられている、という状態が脳の中に生まれています。

人間はよりリアルに感じている方のゲシュタルトを選択し、それに合致した行動をとります。ゴールを達成した自分というゲシュタルトを、脳に選択させなければならないからです。

人生のゴールのイメージに情動を結びつけることは、とても大切なのです。

なぜならば、アファメーションをより効果的なものにする道具である臨場感は、ゴールを達成した際に感じる気持ちに類似した過去の情動記憶と結びつくことで、より強固になるからです。

「イメージ・言葉・情動」がゴールの達成にどのように関わってくるのかを考えてみてください。

PART2 RULE-013 IMAGE

マイケル・フェルプスはいかにして8冠王に輝いたか？

[名伯楽 マーク・シューベルト]

ルー・タイスの愛弟子のひとりに、マーク・シューベルトという方がいます。彼は『白鳥の歌』など数々の名曲を残したフランツ・シューベルトの末裔です。

実は、シューベルトさんはアメリカが生んだ驚異的な競泳選手、マイケル・フェルプスのコーチを務めた人なのです。

ご存じのように、フェルプス選手は2008年に行われた北京オリンピックでは、前人未到の金メダル8

ゴールを達成した自分の姿を強くイメージする！

事例 マイケル・フェルプス
（北京オリンピック競泳種目で8冠に輝く）

＝

毎晩ベッドに入ると、天井のあたりを見つめ、そこにオリンピックの決勝戦を泳いでいる自分の姿を描く

＝

決勝戦の出場メンバーは誰で、自分はどのコースを泳ぎ、どのように一番のライバルに競り勝って優勝するのか。そうした具体的なイメージを、強く思い描く

ゴールを達成した自分の姿を強く思い描きながら、そのときに達成していることを自分に語りかける

＝

アファメーション

60

PART2 人生を変える「イメージ」の作り方を学ぼう | IMAGE

オリンピックで競う自分の姿をイメージする

冠王に輝きました。

シューベルトさんがフェルプス選手のコーチに就いたのは、彼がまだアメリカ国内の有望選手のひとりにすぎなかった13〜14歳のころのことです。それ以来、幼いフェルプス少年に、目標達成のためのコーチングが施されました。

シューベルトさんはオリンピック出場を決める以前の彼に、自らの成功イメージを徹底的にビジュアル化するようアドバイスしました。彼がまだ、年齢別の全米水泳でトップにも立っていなかったころのことです。

フェルプス選手は毎晩ベッドに入ると、天井のあたりを見つめ、そこにオリンピックの決勝戦を泳いでいる自分の姿を描きました。いや、念じた、といったほうが正確かもしれません。決勝戦の出場メンバーは誰

で、自分はどのコースを泳ぎ、どのように一番のライバルに競り勝って優勝するのか。そうした具体的なイメージを、強く思い描いたのです。

フェルプス選手は、出場イメージを脳裏に焼きつけながら眠りにつくのを日課にしました。

私はフェルプス選手と面識はありませんが、オリンピックで競う自分の姿をイメージするときは、同時にセルフトークを行っていたことでしょう。たとえば、「私はすごい選手だ。もうこんなに2番手を引き離している」とか、「泳いでいるときは、最高の気分だ」などです。

このようにゴールを達成した自分の姿を強く思い描きながら、そのときに達成していることを自分に語りかけるのがアファメーションなのです。

前にも触れたように、アファメーションは「なりたい自分」になれる魔法の言葉です。アファメーションであなたの人生は劇的に変わります。

マイケル・フェルプスがオリンピックで大活躍できた理由をあなたなりに考えてみてください。

PART2 RULE_014 IMAGE
複数のゴールを設定するとき「バランス・ホイール」をイメージする

[趣味のゴールが決まれば仕事のゴールも決まる]

人生の目標について訊ねると、一番多い答えが「仕事」です。確かに生活の中で仕事に関わる時間は大きなウェイトを占めますが、人生という枠組みの中では、仕事はたくさんあるゴールの一つに過ぎません。同じくらいに、健康や趣味、家族や地域社会への貢献といったことも重要です。

私たちが考える幸福とは、これらの幸福がバランスのよい状態のことです。仕事やお金以外の幸福を手にいれようとすることは、ゴールを設定する上で大事なことだと思います。これを「バランス・ホイール（もともとはタイヤの内側にある複数の棒状の金属）」と呼んでいますが、要は仕事だけでなく、家庭や人生、精神的なことについてのゴールも取り入れなくてはいけないということです。

私が常々感じているのは、自分の「趣味」は仕事と同じぐらい悩んで決める必要がある、ということです。趣味は直接的に自分の役に立つわけではないですが、徹底的に好きでないとできません。考えただけで嬉しくて仕方がなくなり、他の時間を削ってでもやりたいほどのことでないと、趣味とは言えません。実は、趣味のゴールを見つけられたら、職業のゴールを見つけるのも容易なのです。なぜならば、職業のゴールも、趣味のゴールと同じくらいわくわくできて楽しいものでなくてはならないからです。趣味に対する熱意と同じベクトル量を仕事でも持てれば、仕事のゴールは簡単に見つかるでしょう。

このように人生の様々な方向性に対してそれぞれゴールを持つのは大切なことです。

郵便はがき

料金受取人払郵便

牛込局承認
9092

差出有効期限
令和7年6月
30日まで

1 6 2-8 7 9 0

東京都新宿区揚場町2-18
白宝ビル7F

フォレスト出版株式会社
愛読者カード係

フリガナ		年齢　　　歳
お名前		性別 （ 男・女 ）

ご住所 〒
☎　　（　　　）　　　　FAX　　（　　　）

ご職業	役職
ご勤務先または学校名	
Eメールアドレス	

メールによる新刊案内をお送り致します。ご希望されない場合は空欄のままで結構です。

フォレスト出版の情報はhttp://www.forestpub.co.jpまで!

フォレスト出版　愛読者カード

ご購読ありがとうございます。今後の出版物の資料とさせていただきますので、下記の設問にお答えください。ご協力をお願い申し上げます。

● **ご購入図書名**　「　　　　　　　　　　　　　　　　　　　」

● **お買い上げ書店名**「　　　　　　　　　　　　　」書店

● **お買い求めの動機は?**
  1. 著者が好きだから
  2. タイトルが気に入って
  3. 装丁がよかったから
  4. 人にすすめられて
  5. 新聞・雑誌の広告で(掲載誌誌名　　　　　　　　　　)
  6. その他(　　　　　　　　　　　　　　　　　　　　)

● **ご購読されている新聞・雑誌・Webサイトは?**
(　　　　　　　　　　　　　　　　　　　　　　　　)

● **よく利用するSNSは?（複数回答可)**
  ☐ Facebook　☐ X(旧Twitter)　☐ LINE　☐ その他(　　　)

● **お読みになりたい著者、テーマ等を具体的にお聞かせください。**
(　　　　　　　　　　　　　　　　　　　　　　　　)

● **本書についてのご意見・ご感想をお聞かせください。**

● **ご意見・ご感想をWebサイト・広告等に掲載させていただいてもよろしいでしょうか?**
  ☐ YES　　☐ NO　　☐ 匿名であればYES

あなたにあった実践的な情報満載! フォレスト出版公式サイト

https://www.forestpub.co.jp　フォレスト出版　検索

PART2 人生を変える「イメージ」の作り方を学ぼう　| IMAGE

人生のゴール設定に不可欠な「幸福の定義」

「愛なんて不確かなものより社会的成功こそが幸せだ！」

「社会的成功より、愛のある生活こそが幸せだ！」

人によって幸福の定義は異なり、ある人間にとっては幸福な状況が、他の人間にとっては不幸な状況ということはよくある

自分は何に幸福を感じるのかをまず探し、複数ある場合は順位をつける！

「自分は何が幸せなのか？」

「幸福」の条件とそのバランスを考える

自分が幸福を感じる条件（例…健康、財産、愛、学歴など）が、それぞれ円グラフの何割を占めるかを図示し、バランス・ホイールを完成させ、ゴール設定の目安とする。

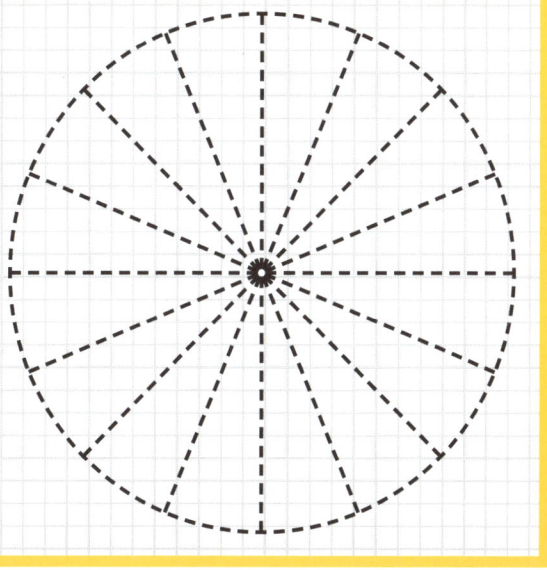

たとえば将来の夢で「サッカーの世界最高峰リーグのFCバルセロナで活躍したい」と考えたとします。これは仕事のゴールと言えます。

これに「世界中の子どもたちにサッカーの楽しさを教えたい」という社会貢献に対するゴールを加えます。あるいは「結婚したら、家族と過ごす時間を大切にしたい」という家庭に対するゴールを加えていくわけではありません。要は複数のバランスのとれたゴールを設定することが大切なのです。

このように人間のゴールは一つだけではありません。要は複数のバランスのとれたゴールを設定することが大切なのです。

MEMO

RULE_001-013

PART3

ACT

人生を変える
「行動」を生み出す
実践術を習得しよう

PART 3

RULE_001 ACT

人間は一番臨場感の強い世界を選びとって生きている

[想像にリアリティを与える臨場感]

ゴールを達成したときの自分と、そのときに目の前に広がっている世界に対して、強烈なリアリティを感じることができれば、いまのあなたのコンフォートゾーンを、ゴールのコンフォートゾーンに近づけることが可能となります。

想像したものを実現させるためには、単に空想するのではなく、想像に強烈なリアリティを与えてやる必要があります。そうしなければ、目的的志向が働かず、ゴールの世界も

臨場感がゴール達成のカギ！

I（想像力 Imagination）×V（臨場感 Vividness）
＝R（現実 Reality）

> 私は今、起業に成功して、フェラーリに乗っている

> 私は今、オリンピックの競泳の決勝戦で泳いでいる

ゴールを達成した将来の自分の姿を
想像し、そのイメージに
強い臨場感を与えていくことによって
刷り込みが行われ、
ゴールが現実のものになる

PART3 人生を変える「行動」を生み出す実践術を習得しよう　　**ACT**

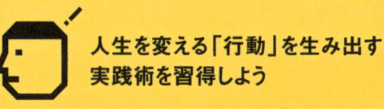

「臨場感」を獲得してゴールに近づく

人間の脳は臨場感の強い世界を現実と認識する性質があります。たとえば、映画を観ているとき、私たちはスクリーンに映し出された世界に強い臨場感を感じます。そのとき、脳は、スクリーンに映し出された世界を現実だと認識しています。それゆえに、虚構の世界を観ているだけなのに、手に汗を握ったり、思わず「きゃっ！」と叫んだり、生理的反応を起こすわけです。

実は、脳が現実だと認識する情報は、物理世界に限定されておらず、しかもその情報が真か偽かという区別もありません。では、脳が何をもって現実と認識するのかといえば、一番臨場感の強いものなのです。

このように、人間は、自らが一番強く臨場感を感じている世界を、現実として選びとり、現実として認識します。逆に、たとえ目の前で起こった大事件であっても、それ以上に強い臨場感を感じている世界があれば、大事件は現実として選択されないし、現実として認識もされません。これが認知科学の一つの到達点です。

つまり、人間は、一番臨場感の強い世界を選びとって生きているのです。

これはとても重要な理論で、高いコンフォートゾーンを獲得しようとする場合にも適用することができます。たとえば、現状のコンフォートゾーンよりも強い臨場感を、ゴールのコンフォートゾーンに与えてやれば、脳は自動的にそれを現実として選択することになります。

また、ゴールや夢の達成においても、臨場感は将来の自分のイメージと結びつくことで強いリアリティを持った未来の記憶をつくり出します。

けっして実現してはくれません。そして、想像に強烈なリアリティを与えるのが、臨場感なのです。

自分がゴールを達成したときの姿を想像して、それを書き出してみよう。

RULE_002 | ACT
アファメーションの実践的なつくり方

アファメーションをつくる上で守らなければならない11のルール

1. 個人的なものであること
2. 肯定的な表現のみを使い、肯定する対象のみを盛り込む
3. 「達成している」という内容にする
4. 現在進行形で書く
5. 決して比較をしない
6. 「動」を表す言葉を使う
7. 情動を表す言葉を使う
8. 記述の精度を高める
9. バランスをとる
10. リアルなものにする
11. 秘密にする

[11のルールでゴールを達成する]

アファメーションの実践的なつくり方をまとめておきましょう。アファメーションには、11のルールがあります。一つ一つは簡単なルールですが、これらを守って的確で効果的なアファメーションにしていくことがとても重要です。

① 個人的なものであること
アファメーションは、一人称で書きます。つまり、アファメーションの主語は、個人の場合は「私」、チー

68

PART3 ACT

人生を変える「行動」を生み出す実践術を習得しよう

> 1章で書いたあなたのアファメーションを、
> 今度は11のルールに従って改めて書きなおしてみましょう。

ムや組織の場合は「私たち」「われわれ」です。内容は、あなたが心の底からそう願ったり、考えたりする、個人的なものにします。

② 肯定的な表現のみを使い、肯定する対象のみを盛り込む

アファメーションの中には、「こうなりたくない」「欲しくない」という表現を使ってはいけません。また、なりたくなかったり、欲しくなかったりする対象も、いっさい盛り込みません。理由は、否定的な言葉や否定する対象を口にしたとたんに、その人のエフィカシーが格段に下がってしまうからです。

③「達成している」という内容にする

アファメーションは、現在のあなたがすでに人生のゴールを達成している、という考えのもとにつくっていきます。なぜかといえば、アファメーションは、あなたのゴールのコンフォートゾーンを上げるための技術だからです。たとえば、「私は○○をきっとやり遂げるだろう」と

いう内容では、あなたのいまのコンフォートゾーンが、ゴールのコンフォートゾーンよりも低いということを前提にしています。これでは、ゴールのコンフォートゾーンをリアルに感じることはできるはずがありません。したがって、アファメーションは、「私は○○を持っている」「私は○○をする」「私は○○だ」といった言い回しを使い、すでに達成しているという内容にします。

④ 現在進行形で書く

同じ理由から、アファメーションの文言はすべて、「いま起こっている」「いままさに○○している」などのように現在進行形で記していきます。

⑤ 決して比較をしない

他人と比較をして「こうだ」という内容にしてはいけません。他人との比較によって成り立つゴールの世界は、本当のゴールではありません。

⑥「動」を表す言葉を使う

アファメーションでは、ゴールの

69

ルになっていきます。

⑧ **記述の精度を高める**

アファメーションは、一度つくれば終わりというものではありません。毎日、自分にそれを語りかけながら、気づいたことがあればその都度、修正を加え、精度を高めていきます。

⑨ **バランスをとる**

人生のゴールは、仕事に限定されるものではありません。キャリア、家庭、姻戚関係、ライフワーク、財産、住環境、地域活動、精神性、健康、余暇など、生きがいを見つけられるあらゆる分野にゴールを見出すことができます。

⑩ **リアルなものにする**

アファメーションの文章は、その文言からゴールを達成した自分自身の姿が浮き出してくるくらい、リアルな記述にしていきます。

⑪ **秘密にする**

アファメーションは、それがルールになっている場合を除いて、誰にも内容を明かしたり、見せたりしてはいけません。それをきっかけに、あなたの邪魔をするドリームキラーが必ず現れるからです。

世界における自分自身の行動やふるまい方を表すような言葉づかいの工夫をしてください。たとえば、「私は、どんなに身分の高い人に対しても、にこやかに親しみのある笑顔を向け、落ち着いた身ぶり手ぶりを交えて交渉することができる」といった感じです。動を表す言葉を使うことで、ゴールを達成した自分の姿をより鮮明にイメージすることができます。

⑦ **情動を表す言葉を使う**

ゴールを達成したときに、あなたがいかに感動するか。その感動をあなたに正確にイメージさせる言葉を使って、ゴールの世界のあなたの姿をアファメーションの中に表していきます。そして、あなたが選んだ情動を表す言葉に対して、かつて体験した「嬉しい」「楽しい」「ほがらかだ」「気持ちいい」などの最高の情動を結びつけておきましょう。情動を結びつけておけば、ゴールの世界の臨場感はいっそう増し、よりリアルタイズや私の指導を受けた正式の

> **アファメーションを実行してみよう！**

以上に記した11のルールを守って、さっそくあなたもアファメーションを一つ、つくってみましょう。そして、それを毎日、自分に語りかけてください。

自分に語りかけるタイミングと時刻にルールはありませんが、一番いいのは夜の就寝前のひと時です。就寝前は気持ちもリラックスしているし、そのまま睡眠に移行していけば、アファメーションがより記憶に定着しやすくなります。試験勉強などで経験したことがあると思いますが、寝る直前に覚えたものは脳が記憶によくとどめるからです。

70

| PART3 | 人生を変える「行動」を生み出す実践術を習得しよう | ACT |

図解 アファメーション作成上の11の決まり

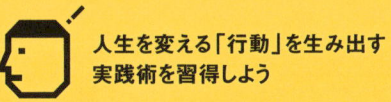

1. 私は……

2. ～になりたくない ✗

3. 私は社長だ!

4. いままさに私は高級車に乗っている

5. 比較 ✗

6. 私はどんな偉い人とでも落ち着いて話ができる

7. 嬉しい……楽しい……

8. フェラーリに乗る／ポルシェ　精度を高めよう!

9. 精神／仕事／財産／家庭／生きがい／趣味／地域活動／健康

10. リアル!

11. 秘密!

PART3

RULE_003 | ACT

相手のゴールを見抜いて自分の話を聞いてもらう

["話す状況" を作る技術]

会社の朝礼や会議、取引先でのプレゼン、結婚式のスピーチなどで、多くの人を相手に何かを話す場合、必ずしも相手があなたの演説を聞く状況にあるとは限りません。

むしろ、相手はあなたの話に興味を持たないで、何か他のことを考えている場合が多いかもしれません。いわば、アウェー状態の中で、ひとり孤独にスピーチをせざるを得ない状況に追い込まれていると言えるでしょう。

相手とゴールを共有するための技

1. 相手の目的や興味のあること（＝ゴール）を徹底的に調べる

2. 相手のゴールに合致する話題（情報）を収集する

3. 相手と自分の共通点を見つけ、その話をする

マンガが好き　　映画が好き

映画化されたマンガという共通のゴール

↓

相手のゴール達成に役立つ情報を持っていると思わせると、自分の重要度が増す

PART3 人生を変える「行動」を生み出す実践術を習得しよう ACT

そうした場合、あなた自身で"話す状況"を作る必要が生じてきます。相手があなたの話を好意的に聞き入れて、それを受け入れてもらえるようにするのです。

そうした場合、まずは相手の興味の対象を理解し、その話をすれば、相手から積極的に話についてきます。スポーツの話でも映画の話でも構いません。相手に「自分の興味のある話をしてくれる存在」と思われることが大切なのです。

相手のゴールと自分のゴールの共通点が見つかれば、その共通点の話題に徹して話をします。そのためには、相手以上の知識と抽象度が必要となります。

そこで自分のゴールを明確にしておきましょう。すると、たとえば相手がマンガ好きで自分が映画好きだったという場合のように、多少ゴールがずれていても、「映画化されたマンガ」の話をすれば、マンガについての知識がなくても、お互いのゴールの共通点を見つけられます。

ゴールの共通点を見抜く

よく自分の言いたいことだけを話してしまう人がいますが、それは話し方が下手なのではなく、話す状況を作ることが下手だということです。あなたやあなたの話にニュートラルな状態にある相手に対して自分

の言いたいことだけを言っても、相手は興味を示すどころか、心を閉ざして警戒してしまいますから、気をつけましょう。

これは難しいことではなく、要は「相手の目的（ゴール）を知り、自分の話を相手のゴールに合致するものにして、相手のプラスの情動を引っ張り出す」ということを行えばいいのです。自分の話が相手のゴールに合致するということを相手に認識させれば、しめたものです。あとは相手の方から積極的に耳を傾けてくれるようになります。

相手が野球好きで、自分がサッカー好きといった場合、そこに共通のゴールがないか考えてみましょう。

PART3

RULE_004 ACT

商談や人付き合いにおいては「自分のルール」を貫く

ユダヤ人と日本人のビジネス観の違い

ユダヤ人の場合
・人情よりもルールを優先
・ルールは絶対であり、私情をはさまない

契約は絶対守る

ポイ 契約書

日本人の場合
・ルールよりも人情を優先
・ルールよりも相手に誠実

> ルールをしっかりと守り、契約書を遵守して仕事をすることはビジネスの世界では当然のこと

[ルールを守れない人とは同じピッチに立てない]

ビジネスの世界では、ルールを守ることが絶対で、経済的な成功者と言われる人たちは、もちろんこのルールをきちんと守っています。ルールを守れない「誠実」でない人とは取引などできません。スポーツの世界と同様で、ルールを守れない人とは同じピッチには立てませんし、そもそもルールを守れない人はピッチに立つ資格がないのです。

私の経験上、仕事に対してルールを守り、誠実だった一番の相手はユ

74

PART3 人生を変える「行動」を生み出す実践術を習得しよう | **ACT**

> **商談相手があなたの親しい友人で、その人が契約書の内容に反する行為を行ったとしたら、あなたはどうしますか？**

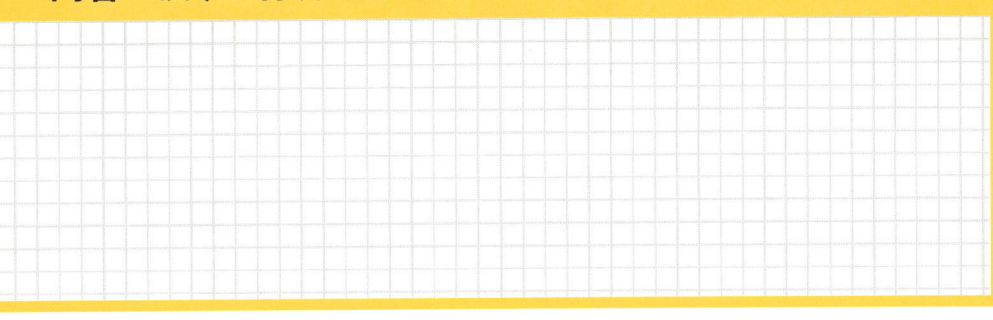

ビジネスには私情をはさまない

これが日本だった場合、人情というものがありますから（こうした馴れ合いは主に銀座などでの接待で育まれるわけです）、これだけのことでクビになることはないでしょう。ですが、ビジネスの世界では当然のこと。なぜなら、厳格なルールにもとづいて仕事をしているからです。

さらに、己自身のことをもっと語れば、私は多くの著書を出しています。そして、出版依頼を受けた際は独自の厳格なルールを作っています。販売計画を教えてもらうことはもちろんなんですが、より多くの人たちに私のメッセージを理解していただくために、全国の書店に並ぶよう、初版の部数をできるだけ多く設定してもらっています。

どんなことでも気持ちよく仕事をするためには、ルールが重要ですね。

ダヤ人です。韓国に利息制限法がまだなかった頃、私はあるユダヤ人から「20～30億を預けるから韓国で消費者金融会社を設立してほしい」と頼まれたことがありました。私は自分がオーナーでないと納得しないので、その話は断ったのですが、もしその話を引き受けていたら、私は今頃、「韓国のサラ金王」になっていたでしょう。

またあるときは、ニューヨークのユダヤ人から資産運用を頼まれたこともありました。私に全権が渡されていたため、株の売買はすべて私の判断で行っていました。彼らは誓約書にある想定利回りで資産を運用している限り、個別の案件の判断はすべて任せ、自由にやらせてくれました。ただし、もし契約上の利回りを1％でも下回ったらクビ、というわけです。

ちなみに、私が一番嫌いなタイプは、ビジネスとプライベートを混同する人間です。

PART3 RULE_005 ACT

現在の自分の価値を評価するのは自分自身である

[過去のイメージで判断されてしまう]

組織において、他人が自分をどう思っているのかについて思い悩んでいる人は、思いのほか多いのではないでしょうか。

しかし、そんなことを気にするのはナンセンスです。なぜならば、現在の自分の価値を評価するのは自分自身だけだからです。

人が他者を評価する場合、往々にして過去のその人のイメージをもとにします。たとえば、会社において上司や同僚などがあなたを評価する

**他人が自分のことを
どう評価しようが関係ない！**

……やはり、みんなの言うとおりなのかな？

君じゃダメだよ

失敗するよ

あなたの将来が……

今の成績では無理だよ

他者のネガティブな発言は
エフィカシーを下げる方向に働く

↓

あなたの「ゴール＝夢」を邪魔する
ドリームキラーの言葉に
耳を貸してはいけない！

76

PART3 人生を変える「行動」を生み出す実践術を習得しよう ACT

「他者の意見」を無視する勇気

としましょう。あなたは過去に仕事上で致命的なミスを犯し、会社に大きな損失を与えたことがあります。この場合、いくらあなたがふだん真面目に懸命に働いていたとしても、たった一度の失敗の印象のせいで、上司や同僚から「あいつはダメなやつ」というレッテルを貼られているかもしれません。そして、そのことにあなたは人知れず思い悩み、職場においてもいつもオドオドしているかもしれません。また、同じミスをするのではないかと考えて。

こうした思考の負のスパイラルに陥らないためには、「他人は自分の過去のイメージでしか自分を判断しないが、自分のゴールへの達成能力(エフィカシー)を判断するのは自分である」ということを何度も繰り返し唱えましょう。

くものです。今の自分は一瞬にして過去の自分になるゆえに、過去の出来事やイメージでその人を判断することはまったく無意味なのです。

先の例で言えば、過去に1回、失敗したからといって、その人がまた失敗するかどうかは誰にもわかりません。なぜならば、過去の自分と現在の自分との間には何の因果関係も存在しないからです。

過去に千回失敗したAという人と、一度も失敗をしたことのないBという人との間において、未来のチャンスは平等です。過去は明日の成功とはまったく関係がないからです。

だから、他人を過去のイメージのみで推し量るのは極めて馬鹿げた行為であり、そのこと自体を気に病む必要はないのです。

繰り返しになりますが、たとえ1万回失敗しようが、そのこと自体はすでに過去の出来事です。チャンスは過去からではなく、未来からしかやって来ないのですから。

人という存在は絶えず変化していく

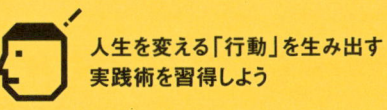

他者からの評価が無意味である理由を書き出してみよう。

PART 3　RULE_006　ACT
空気が読めないことと、空気を無視することは違う

その場の空気が自分のゴールに合致していたら従えばいい

- とりあえず、ビールを
- じゃあ、ビールで
- 同じで
- オレンジジュース、ください

その場の空気＝正しいとは限らない
（＝自分のゴールと合致していない）

↓

「空気を読めない」のはダメだが、「空気をあえて無視」するのは状況に応じてOK

[とりあえず、礼儀を重んじる]

たとえばプロ野球選手で完封勝利をあげた投手がお立ち台でのインタビューで、「チームのみんなと、ファンのみなさんの声援のおかげで勝てました」と言うことがあります。ロンドンオリンピックでも、多くのメダリストたちが「応援のおかげでメダルを取ることができました」と話していましたが、本当に選手たちはファンに感謝をしているのでしょうか。

スポーツ選手が点を入れたり試合

78

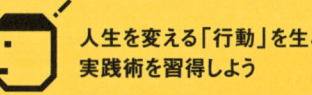

PART3 人生を変える「行動」を生み出す実践術を習得しよう　**ACT**

> 職場の上司に飲みに誘われたとき、その上司と飲むという行為が自分のゴールと合致していない場合、あなたはどうしますか？

場の空気に従うかは自分が決める

　に勝とうとしたりするのは「自分たちのため」であり、それがお金をもらう仕事だからです。では、なぜファンに感謝するのかというと、それが礼儀であり、人間関係を円滑にする一種のマナーだからです。
　ルールや契約によって成り立っているビジネスにおいても同様です。契約で行うことに対して感謝する必要などないのですが、人間関係をギクシャクさせないためにも、また、相手の気分をよくさせるためにも戦略的に感謝の言葉を述べるのです。

　こうした社会の中で、必要以上に「場の空気を読む」ことを重視する人がいますが、それは日本人にありがちな一種の「過適応」で誤った考えです。なぜなら、「その空気が正しい・間違っている」という判断基準は相対的かつ主観的なもので、一概に何が正解とは言えないからで

もちろん、人間関係を円滑にするために、空気を読むことはしないよりもした方がいいのですが、だからといって、その空気に必ずしも従う必要はありません。従うかどうかの判断は、自分のゴールに合致しているか否かの観点からすればいいことだからです。「場の空気」が自分のゴールに合致しているのであれば従えばいいですし、合致していなければ、その空気を変えればいいのです。
　自分のゴールのために相手に合わせる、というのはビジネスの基本ですが、必要以上に合わせることもありません。お互いビジネスでやっているのですから、相手に気を遣って自分が遠慮しすぎて、イヤな思いをすることはないのです。
　日本人はともすれば、付和雷同というか、組織の和を重視しがちですが、ときにはあえて「場の空気」を無視する勇気を持つことも必要ではないでしょうか。

PART3 RULE_007 ACT

相手の感情にうまく訴えかけるテクニックを身につける

[場を支配できればしめたもの]

オバマ大統領といえば、多くの国民から熱狂的な支持を受けた、2008年の大統領選中の「Change」「Yes We Can」の合い言葉が印象的ですが、オバマ大統領の演説が特別に上手だとは私には思われません。

では、なぜアメリカ国民は、高度な話術を持っていないオバマ大統領の演説に熱狂したのでしょうか。

それは、オバマ氏が「話す状況」をうまく支配していたからです。当時、アメリカ経済は失速し、イラク戦争の影響もあり、世界のリーダーであるアメリカの権威は落ちていました。

そこにオバマ大統領が登場し、「Change」「Yes We Can」と、強いアメリカの復活を印象づけたのです。すでにアメリカに、国民が熱狂する土壌ができあがっており、オバマ大統領はそれを有効的に利用していただけなのです。

話し方には「論理的話し方」と「情動的話し方」の二つがあります。論理的話し方は、相手に説明したり説得したりするときや、何かを選択させる際に使う話し方で、情動的話し方は、自分や相手の心に話しかけ、コミュニケーションを重視する話し方です。

オバマ大統領も政財界などで成功者と言われる人たちも、論理的話し方をきちんと身につけています。そして、オバマは大統領選で国民の琴線に訴えかけるような、まさに国民が欲している言葉を用いて、ピンポイントで国民の情動に訴えかけることに成功したからこそ当選できたのです。

論理的話し方、情動的話し方、この両者の話し方には、メリットとデ

80

PART3 人生を変える「行動」を生み出す実践術を習得しよう | **ACT**

「論理的話し方」と「情動的話し方」の使い分け

論理的話し方		情動的話し方
情報を与えて、正しい認識や判断を促す	目的	コミュニケーションのため
取引先などの第三者	対象	家族、恋人、友人など
ビジネスなど	使用例	身近な人とのパーソナルな会話

↓

「誰にどのように話をするか」を厳密に区別して、状況に応じて両者を使い分ける

ある商品を顧客に説明する場合、心がけなければならないことを5つ書き出してください。

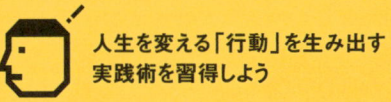

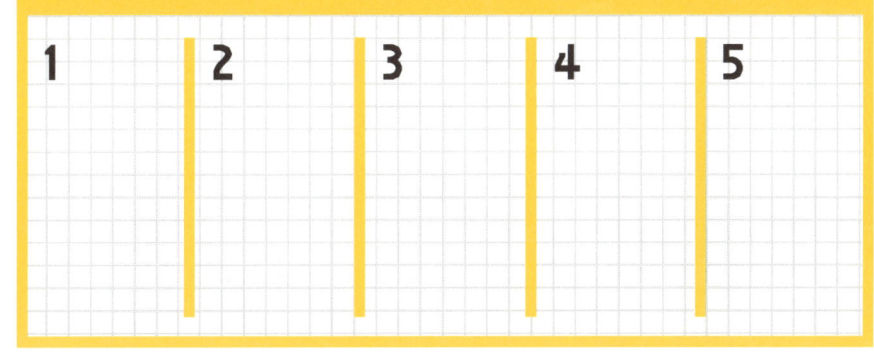

1.
2.
3.
4.
5.

メリットがありますが、大事なのは「誰に何を話すか」を明確にし、両方を使い分けることです。いま、日本人は世界中でビジネスを展開しています。私は、日本人が国際社会で成功し、生き残っていくためには、論理的な話し方の習得が大切だと思っています。

PART3 RULE_008 ACT
「一目ぼれテクニック」で相手を魅了する

声の高低差を駆使する

「一目ぼれ」をさせるには、まず呼吸を通じて相手と同調することが大切です。

具体的には、過去に体験した「嬉しい・楽しい」といったことを思い出し、心地よい情動をイメージします。その空間を共有すると、次第に相手にもあなたの情動は伝わります。あなたが「ここは心地よい空間だ」と思うと、相手にとっても居心地のいい空間になります。相手話し方にもコツがあります。相手

一目ぼれをさせるための技術

相手と適切な距離を維持し、相手の目と目の間に焦点を合わせる

↓

相手の顔の前20〜30センチの場所に目の焦点を合わせる

↓

相手の顔の後ろ20センチの場所に目の焦点を合わせる

繰り返し

この過程を何度か繰り返すことによって、相手に眼球運動をさせるようにする

82

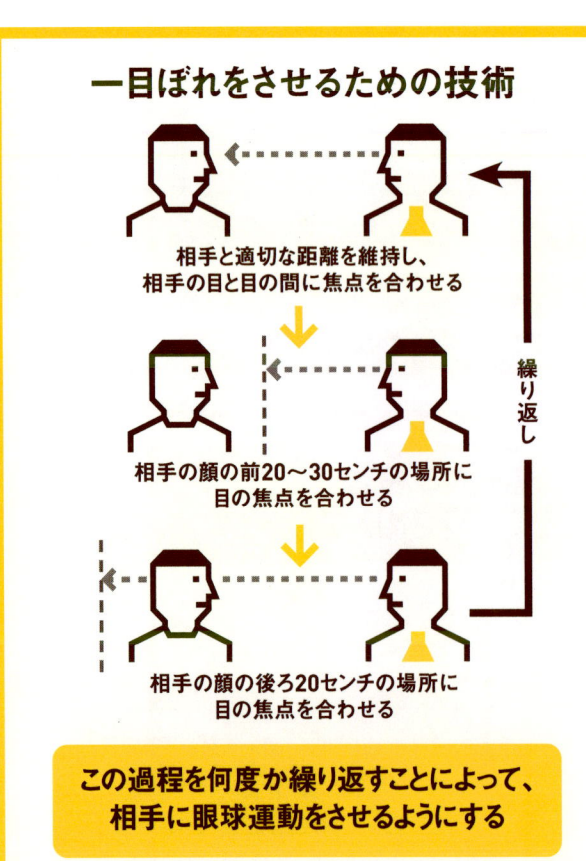

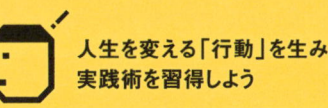

PART3 人生を変える「行動」を生み出す実践術を習得しよう | **ACT**

には低い声でゆっくりと話すことです。

人は無意識に、相手が自分の味方か敵かを判断しています。多くの人にとっての味方は父親というイメージが植えつけられています。そこで、低い声でゆっくり話せば、相手の無意識は父親を連想し、味方だと思って安心します。

ただしこれは、いざという大事な場面を迎えたときに実践するのが有効です。声の高低差を利用して、「これから話すことは重要なことです」と相手の無意識に刷り込むことができます。

① 目と目の間に焦点を合わせる
② 相手の顔の前20～30センチのところに焦点を合わせる
③ 相手の顔の後ろ20センチのところに焦点を合わせる

これを繰り返し、相手に眼球運動をさせれば成功です。あなたの顔は、相手の印象に深く残り、濃厚な関係を構築できるでしょう。

これは「PTSD（心的外傷後ストレス障害）」や、トラウマ治療に用いられる「EMDR」という心理療法の応用です。相手はそれまでの会話のなかで、ここが心地のよい空間で、あなたを味方だと思っていますから、勝手にあなたを重要性の高い人物だと記憶してくれます。これが「一目ぼれ」というわけです。一度、相手をほれさせてしまえば、あとはあなたの優位に話を進めることができるはずです。

もっとも「異性から好かれる」という強い信念をあなたが持っていれば、こうした技術は無用でしょう。

目の焦点距離を利用する

ここまできたら、あとは「一目ぼれ」を起こさせます。自分の目の焦点距離を動かし、それを相手に無意識に追わせることで、相手の目を動かすのです。具体的には、

① 相手と適度な距離を保ち、相手の

過去に体験した「嬉しい」「楽しい」といった心地よい出来事の記憶を思い起こして、それを記述してください。

PART3

RULE_009 ACT

相手の要求を聞き出す「抽象度の高い会話」をする

個人の抽象度に合わせてスピーチに変化をつける

雑談を通じて相手の抽象度をはかる

1. 抽象度が高い
エコカーや歩行者傷害軽減ボディを考慮する

2. 抽象度が普通
リーズナブルな価格のエコカーを求める

3. 抽象度が低い
安さやデザイン、性能にしか関心がない

常に相手より高い抽象度で会話をする
↓
相手の抽象度がわかる

[相手のスコトーマを読む]

人生の成功者と言われる人たちは一般に、会話におけるレベルが高いものです。「高いレベルの雑談」とは、要は抽象度の高い会話を指します。

ふだんから抽象度の高い会話をしていれば、自然と周囲には抽象度の高い（つまりエフィカシーの高い）人たちが集まるから不思議なものです。人脈を広げたかったら、抽象度の高い会話をいつも心がけるのが一番の早道かもしれません。

84

PART3 人生を変える「行動」を生み出す実践術を習得しよう　　**ACT**

食べ物が話題になったと仮定して、抽象度の高い、普通、低いの3つのレベルの内容を書き出してみましょう。

抽象度が高い	抽象度が普通	抽象度が低い

大切なのは高い抽象度

たとえば、かつて私が新しいビジネスをはじめたことをブログに書いた際に、数社からいっしょにビジネスを展開したいとの申し出を受けたことがありました。そういったときに私はあまり自分の話はせず、相手の話を聞くように努めます。「自分たちの会社はこんなビジネスをやっている」「こんな企画を考えています」ということを私は黙って聞くのです。

そうすることで、相手に見えていないスコトーマが見えてきて、「こういうビジネスの展開ができるのでは？」という提案や「こういった人が役立つのでは？」といった人脈の紹介も可能になります。

この場合、重要なのは知識ではありません。相手の持ってきた情報に対し、常に高い抽象度での視点を持ち、会話をすることで、相手の見え

ている部分と見えていない部分、つまりスコトーマを発見することこそが肝要なのです。

「営業」における雑談においても、抽象度を高めることは重要です。相手の抽象度をはかるためには、自らの会話の抽象度を常に相手より上に置いておく必要があります。

営業において大事なのは「具体的に何が欲しいか」ではなく、相手の抽象度をはかってニーズの傾向をつかむことなのです。

たとえば、車のセールスマンならば相手の抽象度に合わせて、顧客が自然環境や価格など、何を重視しているかを読み取る必要があります。

いずれにしても初対面では、雑談のなかで抽象度をはかることが大事です。漠然とした話をすることで、相手の興味や関心の範囲をはかり「どのくらいの抽象度なのか」を知ることによって、今後のアプローチの仕方が変わってくるからです。

PART3

RULE_010 | ACT

自分に付加価値があると認識される自己演出を実行してみる

[セルフイメージを演出する]

情報空間における付加価値のことで、物質的には同じものであっても、与えられた情報によってその価値が大きく変化するもののことを、「バーチャルバリュー」と言います。そして、それを生み出すために重要なのが、イメージ操作なのです。

すなわち、自己演出によって「自分にしかない価値がある」と思わせられれば、自由自在にお金を生み出せるようになります。それはいわば一種のセルフ・プロデュースと言え

るでしょう。

その具体的な例としてあげたいのが、ひと頃IT業界の風雲児として名を馳せた堀江貴文氏です。

同じIT系起業者であった三木谷浩史氏が常にスーツ着用であったのに対して、堀江氏はいつもTシャツ姿のラフな服装でマスコミを通じて挑発的な発言を繰り返していました。私は、堀江氏のTシャツスタイルと挑発的な物言いは、演出として「ワザと」やっていたと思います。彼は「時代の反逆児・ホリエモン」というセルフイメージを演出することで世間の注目を集め、己のバーチャ

ルバリューを高めた結果、彼の会社「ライブドア」の時価総額を、ピーク時には9353億円にまでのばすことに成功したのです（その後の彼の運命はここではひとまず置いておきます）。

とはいえ、堀江氏のTシャツスタイルに関しては、当時から強い反発もありました。これは、本来ならばTPOを考慮してスーツを着用するのが望ましいとされている場でも、Tシャツスタイルを崩さなかったからです。

しかし、そもそも大事なのはあくまでもビジネスにおい

86

PART3 人生を変える「行動」を生み出す実践術を習得しよう　ACT

セルフプロデュースで自分の価値をアップさせる

- 言葉遣い
- 見た目
- キャラクター
- 服装
- しぐさ

一番重要
誰にも真似できない付加価値を生み出す力

余人の真似できない自分だけのキラーコンテンツがあると思わせれば、バーチャルバリューはいくらでも生み出せる

あなたしか生み出せない付加価値をイメージしてください。どんなに抽象的な内容でも構いません。

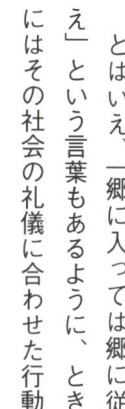

　の中身であり、見た目は二の次でどうでもいいことです。

　とはいえ、「郷に入っては郷に従え」という言葉もあるように、ときにはその社会の礼儀に合わせた行動が必要となります。

　相手に合わせた礼儀や服装、食べ物、言葉遣いを見せることにより、「あなたに合わせていますよ」と態度で示して相手を喜ばせることができます。これは、社交の一環であり、大人として普通の身だしなみの一つです。要は相手にとっても自分にとっても不快でない服装をすればいいのです。

87

PART3

RULE_011 GOAL ACT

臨場感を共有することで、利益率が750倍もアップ！

[みんなが「自分はすごい」と思う]

あなたのゴールがたとえば「世界平和」「貧困や飢餓の撲滅」といった抽象度の極めて高いものである場合、ひとりですべてを行うことは難しいため、チームで動くことが多くなります。そのとき、全員が共通のゴールに向かうための高いエフィカシーを持っていることが重要になります。これが「コレクティブ・エフィカシー（集合的エフィカシー）」です。チームのパフォーマンスを上げられるか否かは、コレクティブ・エフィ

ハイパー・ラポールの仕組み

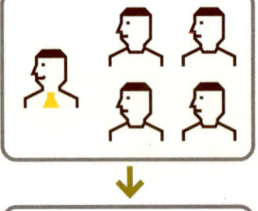

コンフォートゾーンとゴールを共有すると仲間意識が生まれる

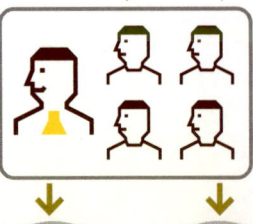

↓

コンフォートゾーンの中心にいる人がハイパー・ラポールを持つようになる

↓ ↓

チームのハイパー・ラポールを作る　　チームの外にもハイパー・ラポールを作る

臨場感

周囲がドリームサポーターとなり、ゴールの達成が実現

88

PART3 人生を変える「行動」を生み出す実践術を習得しよう　ACT

臨場感を共有している人たちの中で、その場の臨場感を支配する者だけが持つ特別な位置を「ハイパー・ラポール」と言います。ゴールとコンフォートゾーンが共有されるほど臨場感が強ければ、そのリーダーはハイパー・ラポールを持つことになります。

精神医学にも「転移」という概念がありますが、患者を強く信頼することが命に別状があるかどうかに関わるほど重要だとされています。これは患者の健康状態という臨場感をお互いが分かち合い、その臨場感を医者が支配している状況と言えます。

まずは、自分のチームに対してハイパー・ラポールを作りましょう。そうすれば、より強いチームになります。

重要なのは、組織の成員すべてをあなたの夢に巻き込むことです。周囲がドリームサポーターに変われば、しめたものです。

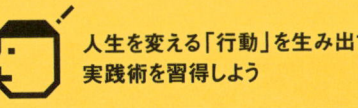

リーダーが高いゴールを設定する

コレクティブ・エフィカシーを生み出すのは、"ゴールの共有"と"結果としてのラポール（心理的連帯感）"です。リーダーと集団がゴールを共有すると、リーダーがレベルの高いゴールを設定し、"チームのみんながそれを達成できると思う"ことが重要なのです。

カシーを作れるかどうか、チームの全員が「自分はすごい」と思っているかどうかにかかっています。

ハーバード・ビジネス・スクールと米TPIの合同統計によると、コレクティブ・エフィカシーがある会社とない会社の10年間の追跡調査を行ったところ、売り上げの差は2～3倍程度でしたが、利益率では750倍の違いが生まれたという結果があります。

**企業と消費者が臨場感を共有し、
企業がハイパー・ラポールとなっている例を挙げてみましょう。**

PART3

RULE_012 ACT
抽象度を高めてお金を稼ぐ

抽象度を高めればお金儲けの手段も見えてくる!

抽象度の低い人
視野が狭いので身の回りのビジネスチャンスに気がつかない

抽象度が適度に高い人
視野が広く、自ら付加価値を生み出して、それを商品として市場の中で流通させる能力がある

抽象度がものすごく高い人
もはやお金には興味がない聖者や賢者の境地

お金儲けが一番うまいのは適度に抽象度が高い人

【 お金持ちになったら次に何をするのか? 】

お金持ちになること自体をゴールにすることを私は否定しません。しかし、それはある意味現在の資本主義や貨幣制度の実態を肯定していることになりますから、私としてはお金儲けというゴールは単なる通過点と考えて欲しいと思っています。大切なのは、お金持ちになったらそのお金を何に使って世界に対してどのように働きかけるかという次の新しいゴールではないでしょうか。とはいえ、逆説的になりますが、

PART3 | ACT
人生を変える「行動」を生み出す実践術を習得しよう

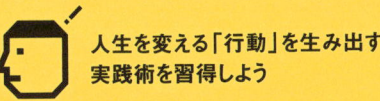

お金に絶対的価値を置くことの危険性について考えてみてください。

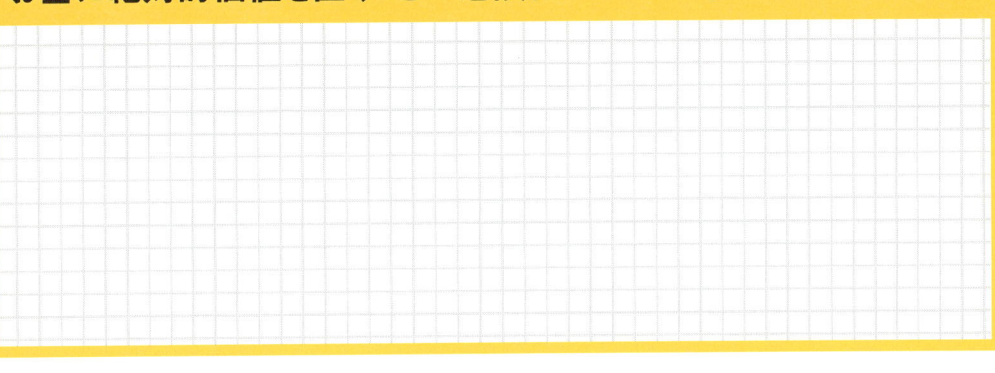

ほどほどの抽象度がベスト

結論から言うと、抽象度が低すぎても高すぎてもお金儲けには不向きなのです。抽象度が低すぎると、自分のことしか見えていないので他者に発信するような市場価値のある付加価値は生み出すことができません。

一方、抽象度のものすごく高い人はお金には執着しません。たとえば、精神的高みに達した聖者や高僧のような人たちです。

となると、もっともお金儲けに適しているのは、適度に抽象度の高い人でしょう。

そこそこの目的意識があり、視野も広く、発想にも独創性がある。そ

れでも貨幣制度や現実の世界秩序を変革するには莫大なお金がかかるのも事実。そこで、どのような人がお金儲けに適しているかを考えてみましょう。

して、自らが他人の真似できない付加価値を創造し、そこにマーケティングと利益回収のノウハウを用いて利潤を獲得できる。あるいは他人が創り出した付加価値を利用して、そこに独自の視点から改良を加えることで、新たな市場価値を創出できる。そうした人が一番お金儲けに向いているのです。

後者は近年のベンチャービジネスの創業者に多いタイプですが、彼らを最終目標にすることはお勧めできません。なぜならば、それは結局お金に縛られたゴールだからです。

私はみなさんにそこからさらに先のより抽象度の高いゴールを実現させることを目指して欲しいと願っています。それは人により、「差別のない世界を作る」であったり、あるいは「世界平和」であったり、その形は様々だと思いますが、そのゴールはあなたにとってより魅力的でわくわくするものにきっとなるでしょう。

PART3 RULE_013 ACT
抽象度をアップする「瞑想術」を学ぶ

[思考を活性化させる営み]

エフィカシーを高めてゴールを達成するための方法の一つに、瞑想をすることが挙げられます。正しい瞑想をすると脳の前頭前野にドーパミンが流れます。すると、思考が一気に活性化して高い抽象思考ができるようになります。実際に高等数学や量子物理学、音楽などの抽象度が高い学問をしていると同様の現象が起きるのです。前頭前野に大量のドーパミンが流れるほど、より高い次元の情報空間を認識できるよう

日常生活の中で瞑想を実行することの効用

類似の行為	例）
音楽や数学に没頭している時	・テーブルの上のペットボトルがどこかから来たのか考える ・食事の時、各食材のルーツを考える

- 瞑想する
- 思考が活性化して、抽象度が上がる
- 脳の前頭前野にドーパミンが流れる

瞑想とは、日常生活で人間が活動している時の思考のすべて

＝

脳が認識している情報を一段高い抽象度で解釈することができる

92

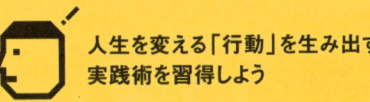

PART3 人生を変える「行動」を生み出す実践術を習得しよう **ACT**

日常の中で行う瞑想

よく誤解されるのですが、私が言う瞑想とはある特定の時間に集中して行うことではありません。私の提唱する瞑想とは日常生活で常に行うもののことです。すなわち、ふだんの暮らしの中で、いついかなるときも抽象度の高い思考を維持し続けることを、瞑想と言っているのです。

たとえば、目の前にコーヒーカップがあるとします。そこであなたはそのカップがどこで作られ、材料は何でどのような流通経路をたどって現在の自分のところまで来たのかについて思いを馳せます。あるいは、コーヒーに使われている豆がどこの農場で収穫され、収穫に従事している人はどのような人なのか、そのコーヒーを生産者から買い上げて市場に流通させているのはどんな階層の人たちなのかイメージします。このようにコーヒーカップ一つとっても、さまざまな瞑想が可能になるのです。そして、この瞑想を継続することにより、新たな視点から物事を見つめ直すことが可能になるかもしれません。それまで見えなかった革新的なビジネスモデルを発見することもあるでしょう。あるいは自身のゴールに直接結びつく大きなヒントが見えてくる場合もあるでしょう。

また、食卓にあるご飯や肉、野菜を黙って食べるとき、「この米はどこで栽培されたのか」や「この野菜は誰がどこで育てたのか」「この牛はどんな牛だったのか」などとイメージを広げてみる瞑想もいいでしょう。

自分の身近な日常生活の中にさまざまな意味を見出して思考を巡らすことは、脳を活性化させるには極めて優れた方法と言えます。

このように、瞑想はあなたの脳が認識している情報宇宙全体を、ふだんより一段高い抽象度で見つめるために非常に有益な方法なのです。

今、身の回りにある物で、最初に目についた物のルーツを瞑想し、その内容を書き出してみましょう。

93

VOICE
TPIEを体験された方々の声

💬 収入がアップして夢を実現

飯干梨瑛さん

5年ほど前の私は、1ヵ月の収入が数千円という大変な状況でした。そんな時、博士の著書に出会い、そこにあったアファメーションのワークを実践。いつの間にか悩む時間が減り、収入もずいぶん伸びていました。「これは何としても博士から直接学びたい！」と思ったものの、当時の私にはセミナーはまだまだ高額に感じられました。そこで「私には困難を乗り越えるすっごいパワーがある」とアファメーション。ルーや博士から直接指導を受け、素晴らしい仲間と活動しているところをニヤニヤ思い描いていました。結果、気がつくと収入も時間のゆとりもさらに増え、1年以内に生前のルーと博士のセミナー受講が実現しました。当時は描くことすらなかった夢を手に入れ続ける毎日です。

💬 40代で超安産を実現！

40代での出産は周囲から怖い声もけっこう聞こえてきます。過去に切迫早産や流産を経験していた私は不安になるばかり。そこで、自分がこうありたいと思う姿をどんどんアファメーションして影響を受けないようにしました。「私は若々しくて美しい妊婦！」「私の体力は20代後半レベルを維持している」「私は的確な判断力がある」などなど。博士をはじめ、TPIE、ワークスで知り合った方々が「いつも元気だねぇ」「あなたのような妊婦が本来の姿だね」など、ステキな言葉を毎回かけて下さった事も健康な自分＆赤ちゃんのイメージを強化してくれました。おかげさまで仕事も趣味も充実の楽しい妊娠期間を経て超安産でした。

💬 アファメーションのチカラを実感！

吉原友美さん

アファメーションをはじめて作ってからたった数ヶ月で劇的な変化があらわれました。ゴール達成の為にアファメーションを唱えビジュアライゼーションで徹底的にイメージをしました。まるで夢が現実になったような感じです。今までだったら出会えないような人達と出会いがあったり、仕事では重要なポジションを任されたり。同僚や友人から相談される事が多くなり、『私自身の存在がアファメーションだ』と言われた事さえあります。とにかくゴールがどんどん達成していくので楽しくて楽しくて……。これからの自分が楽しみです。

💬 なりたい自分に近付いているという臨場感

傳田貴士さん

TPIE を学び、なりたい自分にどんどん近付いているのに気付きますが、アファーメーションによるものだと確信しています。苫米地博士をはじめ、会いたい人にもどんどん会うことが出来ますし、それによりまたゴール側のコンフォートゾーンに臨場感が高まります。

ものごとに対する解釈がガラリと変わりました。すぐに講師として 300 人の前で 90 分ほど話す機会がありました。実は少し緊張しドキドキしたのですが、その鼓動を自分の入場テーマのリズムのようだと自然に思いドキドキをワクワクに変えて臨むことができました。そしてその講義はほとんど 100% 近い参加者から良かったと評価頂きました。現状のコンフォートゾーンの外に出ることは不安を招くかもしれませんが、そのドキドキは自分が自分に対して行っている盛大な拍手のようなものだと思っていつも新しいことに挑戦しています。

アファーメーションとはゴール側の記憶を作る方法だと捉えています。ワクワクする方法と言い換えてもいいかもしれません。ゴールとは、心から成し遂げたい大きい夢やなりたい自分の姿であり、記憶とは、そのゴールを達成できるという将来の自分の能力に対する確信とも言え、エフィカシーを情報化したものとも言えるんだなと、実体験を通じていつも体感しています。

💬 過敏性胃腸炎も克服! メンタルに有効です

谷口健さん

私は自動車屋の経営者です。毎日社員の前で挨拶などを行う立場。なのに極度の上がり症で、緊張すると持病である過敏性胃腸炎の発作が起きる体質でした。緊張すると急激にお腹が痛くなるんです！そんな中、TPIE でアファメーションの技術を学び、実践することでエフィカシーが爆発的に向上。自分に自信がついたためか、精神面が格段に強くなりました。その結果、発作が起きなくなったのです。現在では最も苦手だった「人前で話す」こともできるようになり、自分でセミナーを企画するほどに！TPIE に出会う以前の自分では考えられません。アファメーションの技術は本業にも活かし、毎日朝礼にて社員全員で取り組んでいます。おかげ様で社員も自主的に課題解決に取り組むようになってくれました。

PRESENT

『「言葉」があなたの人生を決める【実践ワークブック】』
読者限定無料プレゼント

苫米地式アファメーションカード（PDF）
苫米地英人による解説音声付き

> 手帳に挟んで毎日つぶやくだけで望む未来が手に入る！

> 「具体的にはどうやればいいの？」の疑問に答える特製カード！

※ PDFファイル、音声ファイルはホームページからダウンロードしていただくものであり、小冊子やCD・DVDをお送りするものではありません。

いますぐアクセス ↓　　　　　　　　　　　　　　↓ 半角入力

http://www.forestpub.co.jp/kotoba2/

【無料プレゼントの入手方法】　| フォレスト出版 | 検索 |

- ヤフー、グーグルなどの検索エンジンで「フォレスト出版」と検索
- フォレスト出版のホームページを開き、URLの後ろに「kotoba2」と半角で入力

苫米地英人（とまべち・ひでと）　PROFILE

1959年、東京生まれ。認知科学者（機能脳科学、計算言語学、認知心理学、分析哲学）。計算機科学者（計算科学、離散数理、人工知能）。カーネギーメロン大学博士（Ph.D.）、同CyLab兼任フェロー、株式会社ドクター苫米地ワークス代表、コグニティブリサーチラボ株式会社CEO、角川春樹事務所顧問、米国公益法人The Better World Foundation日本代表、米国教育機関TPIジャパン日本代表、天台宗ハワイ別院国際部長、一般財団法人苫米地国際食糧支援機構代表理事。

マサチューセッツ大学を経て上智大学外国語学部英語学科卒業後、三菱地所へ入社。2年間の勤務を経て、フルブライト留学生としてイエール大学大学院に留学、人工知能の父と呼ばれるロジャー・シャンクに学ぶ。同認知科学研究所、同人工知能研究所を経て、コンピューター科学の分野で世界最高峰と呼ばれるカーネギーメロン大学大学院哲学科計算言語学研究科に転入。全米で4人目、日本人として初の計算言語学の博士号を取得。

帰国後、徳島大学助教授、ジャストシステム基礎研究所所長、同ピッツバーグ研究所取締役、ジャストシステム基礎研究所・ハーバード大学医学部マサチューセッツ総合病院NMRセンター合同プロジェクト日本側代表研究者として、日本初の脳機能研究プロジェクトを立ち上げる。通商産業省情報処理振興審議会専門委員などを歴任。

現在は自己啓発の世界的権威ルー・タイス氏の顧問メンバーとして、米国認知科学の研究成果を盛り込んだ能力開発プログラム「PX2」「TPIE」などを日本向けにアレンジ。日本における総責任者として普及に努めている。

著書に『TPPが民主主義を破壊する！』（サイゾー）、『君も年収1億円プレーヤーになれる』（宝島社）、『税金洗脳が解ければ、あなたは必ず成功する』（サイゾー）など多数。

苫米地英人 公式サイト http://www.hidetotomabechi.com/
ドクター苫米地ブログ http://www.tomabechi.jp/
Twitter http://twitter.com/drtomabechi（@DrTombechi）
PX2については http://www.bwfjapan.or.jp/
TPIEについては http://tpijapan.co.jp/
携帯公式サイト http://dr-tomabechi.jp/

「言葉」があなたの人生を決める【実践ワークブック】

2013年9月26日　初版発行
2024年6月24日　3版発行

著　者　　苫米地英人
発行者　　太田　宏
発行所　　フォレスト出版株式会社
　　　　　〒162-0824 東京都新宿区揚場町2-18 白宝ビル7F
　　　　　電話　03-5229-5750（営業）
　　　　　　　　03-5229-5757（編集）
　　　　　URL　http://www.forestpub.co.jp

印刷・製本　日経印刷株式会社

©Hideto Tomabechi 2013
ISBN978-4-89451-585-7 Printed in Japan
乱丁・落丁本はお取り替えいたします。